歯科衛生士のための
歯科医療
安全管理
第2版

編/尾﨑 哲則　藤井 一維

医歯薬出版株式会社

●編　者
　尾﨑　哲則　　日本大学講師
　藤井　一維　　日本歯科大学新潟生命歯学部教授

●執筆者（執筆順）
　尾﨑　哲則　　日本大学講師
　福泉　隆喜　　九州歯科大学准教授
　平田創一郎　　東京歯科大学教授
　鳥山　佳則　　東京歯科大学短期大学教授
　木尾　哲朗　　九州歯科大学教授
　小原　啓子　　(株)デンタルタイアップ代表取締役（広島県広島市）
　淀川　尚子　　九州看護福祉大学口腔保健学科准教授
　五十嵐博恵　　医療法人五葉萌芽会萌芽の森クリニック・歯科（宮城県仙台市）
　小原　由紀　　東京都健康長寿医療センター非常勤研究員
　　　　　　　　仙台歯科医師会在宅訪問・障害者・休日夜間歯科診療所
　藤井　一維　　日本歯科大学新潟生命歯学部教授
　松岡恵理子　　日本歯科大学新潟病院歯科衛生科
　石垣　佳希　　日本歯科大学附属病院教授
　安藤　真紀　　日本歯科大学附属病院歯科衛生士室
　藤田　浩美　　日本歯科大学新潟病院歯科衛生科
　池田　裕子　　日本歯科大学新潟病院歯科衛生科
　中村　勝文　　ナカムラ歯科（埼玉県川口市）
　福澤　洋一　　福沢歯科（東京都港区）
　木村　哲也　　木村歯科医院（大分県大分市）
　外山　敦史　　外山歯科医院（愛知県豊明市）
　森本　徳明　　矯正歯科森本（広島県三次市）
　岡村　敏弘　　北海道医療大学予防医療科学センター教授
　川上　智史　　北海道医療大学病院教授
　越智　守生　　北海道医療大学歯学部教授
　山口　摂崇　　北海道医療大学歯学部
　石井　瑞樹　　日本歯科大学新潟病院講師
　笠井　史朗　　かさい歯科医院（福岡県北九州市）
　星川　結香　　日本歯科大学附属病院歯科衛生士室
　日髙　勝美　　九州歯科大学名誉教授

This book was originally published in Japanese
under the title of :

SHIKAEISEISHI NO TAMENO SHIKAIRYO ANZEN KANRI
(Dental Safety Management for Dental Hygienists)

Editor :
Ozaki, Tetsunori　　Fujii, Kazuyuki

Ⓒ 2014 1st ed.
Ⓒ 2023 2nd ed.

ISHIYAKU PUBLISHERS, INC.
　7-10, Honkomagome 1 chome, Bunkyo-ku,
　Tokyo 113-8612, Japan

第2版　はじめに

　本書の初版が出版されてから，9年の時間が経過しました．この間に，従来よりも，感染対策，医療安全そして医療情報，医薬品・医療機器などの管理の重要性が，歯科医療現場で再認識されてきました．そしてこれらに関する業務等については，歯科衛生士が担当者として行う社会環境が少しずつ整備されつつあります．このような環境下で，この3年間には，歯科医療管理を取り囲む環境が大きく変化しました．このことを考慮して，以下の2つの項目について，特に配慮して編集しました．

　1つ目が，新型コロナウイルス感染症〈COVID-19〉の世界中での大流行・パンデミックです．歯科医療安全の中で，感染対策は極めて重要な項目です．歯科医療は，通常の診療でも飛沫が飛散することによって感染の危険が高い医療職種とされていますが，わが国では，「歯科医療機関でのCOVID-19クラスターが起きていない」と言われているほど，良く管理されていたことは皆さんがご存じのとおりです．本書では，このことに胡坐をかくことなく，さらなる安全を求め，感染対策については，新しい情報を入れるのみならず，大学病院などの大規模の医療機関だけでなく，歯科診療所でのあり方についても丁寧に扱っています．

　また2つ目は，個人情報に関することです．社会全体で個人情報やプライバシーに関する関心が高まる中，2020年に個人情報保護法の改正が施行されました．これに伴い，医療情報に関しても，変更された部分のみならず，通常の歯科衛生業務に関してわかりにくい部分についても触れています．

　本書では，初版から引き続き，歯科における医療安全管理の全体像をコンパクトに，かつ図・写真を多用しながらインシデント，アクシデントの事例と対応策などをわかりやすく解説しました．必要な内容を各章ごとにまとめ，どの章から読んでも理解できるように構成しています．さらに，規制法規やその根拠についての要点も示して解説してあります．

　歯科衛生士教育のテキストとして，また歯科診療所での医療安全対策やスタッフ教育の実践マニュアルとしてもすぐに活用できるように編集しました．

　歯科衛生士が歯科医療現場で，歯科医療管理の担い手として活躍することで，歯科医療がますます向上し，より安心・安全な歯科医療を国民に提供できることを願っております．

2023年2月

編者一同

初版　はじめに

　わが国の歯科衛生教育の教育年限が3年以上になり，これに基づき教育も充実してきています．そして，歯科衛生士国家試験でも，従来あまり問われることのなかった領域も対象となってきました．その一つが，いわゆる「歯科医療管理」という分野です．

　この分野の扱う範囲は，歯科医療の質と安全の確保に関する診療管理から経営管理まで広範にわたっており，大変重要なことにもかかわらず，これまで歯科医学教育ではあまり系統的に教授されてきませんでした．歯科衛生士教育でも"歯科医療の安全確保"に関しては同様であり，歯科衛生概論や歯科診療補助の授業で部分的に触れられているのが実態で，関係法令や科学的根拠まで系統立てて示すには至っていませんでした．

　しかし，院内感染による死亡や医療事故が増え，社会問題化するなか，平成19年に医療法が改正され，これまで法的には別々に規定されていた医療安全に関する項目がこの医療法に一括してまとめられ，すべての医療機関に「医療の安全の確保」が義務づけられることになりました．その後，医科医療機関の医療安全への取り組みの流れが全体的に急速に促進され，現在では診療報酬のうえでも院内感染対策の評価が行われるに至りましたが，これもその一環です．当然，歯科医院も例外ではなく，その取り組みが喫緊の課題とされています．そのなかで，歯科衛生士もはじめて医薬品，医療機器などの管理責任の一端を担う資格のある職種と位置づけられ，この業務における歯科衛生士の活躍も必要になってきました．

　このような背景のもとに，この間，歯科衛生士教育現場から医療安全管理（院内感染対策，インシデント防止等の管理）や医療に関わる情報管理に関する適当なテキスト発刊の要望が寄せられるようになりました．そこで，こうした声を踏まえて，座学のみならず，今後の歯科医療現場での必要性を見据えて，本書を発刊することにいたしました．

　本書では，歯科衛生士の教本として多岐にわたる歯科医療安全の全体像をコンパクトにわかりやすく収めて理解を深めることを重視しました．また，教本として使うこと以外にも，ある特定の章だけを取り上げて学習することが可能なように構成されています．すなわち，授業のなかでは他の科目の副読本として使用できるように配慮しています．さらに，法的規定や根拠についての要点を提示し，併せて臨床現場の実践例をシェーマ，写真を多用して解説してありますので，現場の歯科衛生士，医療安全管理責任者である歯科医師の座右の書としても十分役立つものと思われます．

　本書が，わが国の歯科衛生士教育ならびに歯科医療のさらなる向上にお役に立つことができればと願っております．

2014年2月

編者一同

CONTENTS

CHAPTER 1　医療法と歯科衛生士　　1

Ⅰ　医療法と歯科診療における医療安全管理 ………………1
1. 医療法の第5次改正とその後 ……………………1
2. 医療法の改正が目指してきたもの ………………1
3. 安全管理体制の確保 ………………………………2
4. 安全管理体制の整備とは具体的に何をすることか …………2

Ⅱ　安全管理責任者としての歯科衛生士 ……………………6
COLUMN 1　医療安全に対する歯科衛生士の意識は？ ………7

Ⅲ　医療安全をいかに共有するか ……………………………8
1. 医療の"不確実性"について ………………………8
2. 医療安全の共有とは ………………………………8
3. 誰が誰と何を共有するのか ………………………9
4. 歯科医療としてのプロフェッショナリズム ……10
5. マネジメントの進め方 ……………………………12
   COLUMN 2　歯科衛生士のプロフェッショナリズム ………13
6. リスクやミスを共有するコミュニケーション …14
7. 会議・ミーティングの活用法 ……………………15
8. 医療安全から安心，信頼へのプロセスについて …15

Ⅳ　安全管理と歯科衛生士の自覚 ……………………………16
1. 新しい分野での社会的役割 ………………………16
2. 一人ですべての把握はできない …………………17
3. 安全管理責任者としての自覚 ……………………17
4. 管理責任者としての職務 …………………………18

CHAPTER 2　安全管理責任者としての業務を理解しよう　　20

Ⅰ　医薬品の安全管理 …………………………………………20
1. 管理責任者としての業務の基本 …………………20
2. 医薬品に関連したインシデント，アクシデントへの対応 …22
   COLUMN 3　医療安全の5S ………………………………23
3. 歯科医院における医薬品安全管理業務の例 ……23
4. 病院における医薬品安全管理の補佐 ……………29
   COLUMN 4　リスク感性を養う ……………………………29

Ⅱ 医療機器の安全管理 ... 30
1. 医療安全管理者としての業務の基本 ... 30
2. 医療機器のリスクマネジメントの基本 ... 33
3. 定期的な保守点検と記録の重要性 ... 34
   - COLUMN 5　医療機器の安全に関する情報収集の方法 ... 36
4. 歯科医院における医療機器安全管理業務の例 ... 36

Ⅲ 院内感染対策 ... 39
1. 院内感染対策責任者としての業務の基本 ... 39
   - COLUMN 6　医療関連感染 ... 40
   - COLUMN 7　"咳エチケット"から"ユニバーサルマスキング"へ ... 42
2. 院内感染対策におけるリスクマネジメントの基本 ... 44
3. 歯科医院における院内感染対策業務の例 ... 45
4. 病院における院内感染対策の留意点 ... 49
   - COLUMN 8　滅菌・消毒業務管理の基本 ... 55

Ⅳ 歯科訪問診療における感染予防対策 ... 57
1. 歯科訪問診療時の感染予防対策の基本 ... 57
2. 訪問先の居宅，施設等への配慮 ... 57
3. 手指衛生 ... 58
4. 歯科訪問診療時の患者への感染予防対策 ... 58
5. 歯科訪問診療時の歯科医療従事者の職業感染予防対策 ... 60

Ⅴ 感染性廃棄物の管理－特別管理一般廃棄物・産業廃棄物の処理 ... 60
1. 廃棄物の定義と分類 ... 60
2. 感染性廃棄物の判断基準 ... 62
3. 産業廃棄物と一般廃棄物の分類（分別） ... 62
4. 管理責任者としての業務の基本 ... 63
5. 非感染性の廃棄物の表示 ... 65
6. 特別管理産業廃棄物管理票〈マニフェスト〉の交付・保管 ... 65
7. 廃棄物管理のための留意点 ... 65
8. 歯科医院における感染性廃棄物管理業務の例 ... 68
9. 病院における感染性廃棄物管理の留意点 ... 70

Ⅵ 歯科訪問診療時の廃棄物管理 ... 71
1. 歯科訪問診療時の廃棄物とは ... 71
2. 歯科訪問診療時の感染性廃棄物管理 ... 72

CHAPTER 3 歯科医師によるその他の医療安全管理を知っておこう　76

- I 施設管理 ……………………………………………………… 76
- II 労務管理 ……………………………………………………… 77
- III 防災管理 ……………………………………………………… 78
  - 1 防火管理 …………………………………………………… 78
  - 2 地震等防災管理 …………………………………………… 78
    - COLUMN 9　災害時の備え ……………………………… 80
    - COLUMN 10　地震に対する 10 の備え ………………… 81
- IV 放射線管理 …………………………………………………… 82
  - 1 エックス線診療室 ………………………………………… 82
  - 2 エックス線装置の管理 …………………………………… 83
  - 3 放射線の防護 ……………………………………………… 84
  - 4 在宅歯科医療における放射線管理 ……………………… 85
- V 院内掲示管理 ………………………………………………… 85
  - 1 医療法に基づく掲示物 …………………………………… 86
  - 2 個人情報保護法に基づく掲示物 ………………………… 86
  - 3 介護保険法に基づく掲示物 ……………………………… 87
  - 4 保険医療療養担当規制等による掲示物 ………………… 88
  - 5 その他の推奨される掲示物 ……………………………… 88

CHAPTER 4 医療情報，個人情報の管理　90

- I 医療情報，個人情報における基本的考え方 ……………… 90
  - 1 プライバシーとプライバシーの侵害について ………… 90
  - 2 秘密と守秘義務について ………………………………… 91
  - 3 いわゆる個人情報保護法における個人情報などについて …… 92
  - 4 個人情報・プライバシー・秘密の相違とその効果について … 95
- II 個人情報の取り扱いについて ……………………………… 96
  - 1 仮名加工情報 ……………………………………………… 97
  - 2 個人情報の一次利用と二次利用 ………………………… 97
  - 3 匿名加工情報 ……………………………………………… 98
  - 4 患者情報の第三者提供 …………………………………… 98
  - 5 電子保存の 3 基準 ………………………………………… 99
- III 個人情報に関する業務委託先の監督 ……………………… 100
  - 1 個人情報管理の範囲 ……………………………………… 101
  - 2 個人情報管理上のトラブルの可能性と対策の立案 …… 103

Ⅳ　歯科医院における個人情報管理の実際 …………………………………… 106
　　Ⅴ　病院における医療情報・個人情報の管理 ………………………………… 110
　　　1　病院情報システムの安全管理 ……………………………………………… 110
　　　2　組織的安全対策 ……………………………………………………………… 110
　　　3　物理的安全管理 ……………………………………………………………… 110
　　　4　技術的安全管理 ……………………………………………………………… 111
　　　5　情報の廃棄 …………………………………………………………………… 112

CHAPTER 5　医療事故・医療過誤・医事紛争防止のポイント　114

　　　1　用語の定義について ………………………………………………………… 114
　　　　COLUMN 11　アクシデント，インシデント，ヒヤリ・ハット …… 115
　　　2　医療事故をどう捉え，どう対応するか …………………………………… 116
　　Ⅱ　コミュニケーションの重要性 ……………………………………………… 121
　　　1　医療のコミュニケーションとは …………………………………………… 121
　　　2　なぜコミュニケーションエラーが発生するのか ………………………… 122
　　　3　医療コミュニケーションの三大コアスキル ……………………………… 123
　　Ⅲ　よくあるインシデント，アクシデントの事例 …………………………… 125
　　　1　はじめに ……………………………………………………………………… 125
　　　2　インシデント，アクシデントの事例 ……………………………………… 126
　　　　事例1：名前違い ………………………………………………………… 126
　　　　事例2：問診の未実施 …………………………………………………… 126
　　　　事例3：部位間違い ……………………………………………………… 127
　　　　事例4：治療用器具の破折 ……………………………………………… 127
　　　　事例5：インレー，クラウンなどの誤飲（誤嚥） …………………… 127
　　　　事例6：タービンによる舌および頬粘膜の損傷，皮下気腫 ………… 128
　　　　事例7：抜歯時の軟組織傷害および神経損傷 ………………………… 128
　　　　事例8：針刺し事故 ……………………………………………………… 128
　　　　事例9：薬液による軟組織損傷，衣服の損傷 ………………………… 128
　　　3　クレームを背景としたトラブルを防ぐには ……………………………… 129
　　Ⅳ　具体的な防止策 ……………………………………………………………… 129
　　　1　意識の可視化と場の可視化 ………………………………………………… 129
　　　2　インシデントレポートの実際例 …………………………………………… 131
　　　3　インシデントから学ぶ ……………………………………………………… 132
　　Ⅴ　歯科衛生士のインシデント，アクシデント事例と対応策 …………… 133
　　　　事例1：患者衣服の汚染 ………………………………………………… 134
　　　　事例2：歯科用ユニット消導薬の取り違え …………………………… 135

事例3：口腔清掃用具の破損 …………………………………………… 136
事例4：ガーゼの紛失 …………………………………………………… 137
事例5：在宅酸素療法患者のトラブル ………………………………… 138

CHAPTER 6　院内感染対策の背景　140

I　院内感染対策に関わる法制化等の経緯と歯科医療分野の動向 … 140
1. 院内感染対策有識者会議報告書に基づく国の対応 …………… 140
2. 医療安全対策の一環としての院内感染対策 …………………… 141
3. 医療法および医療法施行規則の一部改正 ……………………… 141
4. 院内感染対策の具体的な運用 …………………………………… 142
5. 歯科医療分野における院内感染対策の動向 …………………… 144

II　院内感染対策委員会と感染対策マニュアル ……………………… 145
1. 院内感染対策委員会の設置について …………………………… 145
2. 院内感染対策マニュアル ………………………………………… 146
3. 歯科医院における院内感染対策の責任者とその数 …………… 147

付1　保健所の立入検査　149
1. 検査項目の要点 …………………………………………………… 149
2. 立入検査の手順とその対応 ……………………………………… 150
3. 検査で不備があった場合の処置 ………………………………… 154
   COLUMN 12　毒薬と劇薬，毒物と劇物って？ ……………… 155

付2　歯科医療安全管理のための歯科医院自主点検管理表　156
1. 個人情報保護に関するチェックリスト ………………………… 156
2. 医療安全管理チェックリスト …………………………………… 156
3. 医療機器安全管理対策チェックリスト ………………………… 158
4. 医薬品等の取り扱いのためのチェックリスト ………………… 159
5. 歯科衛生士に関するチェックポイント ………………………… 160

付3　医薬品業務手順書記載項目と記載例　162

さくいん ……………………………………………………………… 167

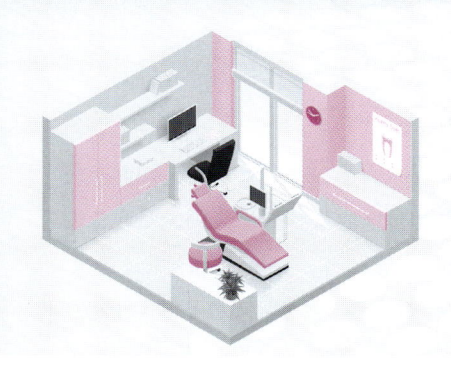

CHAPTER 1
医療法と歯科衛生士

I 医療法と歯科診療における医療安全管理

1 医療法の第5次改正とその後

　2007年4月，**医療法**の第5次改正の施行に伴い，医療法の中に『3章　医療の安全の確保』という名称で章立てされ，"医療安全管理体制の整備"が歯科医院にも義務づけられました（当時：医療法　第6条の10，現：第6条の12）．この法律改正により，それまでの施設の機能別による規制を基本的に撤廃し，すべての病院，診療所，助産所に対し，医療の安全の確保に関する義務が定められました．医療法改正以前は，院内感染対策については結核予防法（現在は『感染症の予防及び感染症の患者に対する医療に関する法律〈感染症法〉』に統合），医薬品・医療機器については医薬品，医療機器等の品質，有効性及び安全性の確保等に関する法律（以下，医薬品医療機器等法）によって，それぞれの安全管理が別々に規定されていました．したがって，この医療法改正では，医療施設内における安全管理は，「**医療の安全の確保**」のなかにその取り組みが一括されて組み込まれたのです．

医療法　第6条の12

> 病院等の管理者は，前2条に規定するもののほか厚生労働省令で定めるところにより，医療の安全を確保するための指針の策定，従業者に対する研修の実施その他の当該病院等における医療の安全を確保するための措置を講じなければならない．

2 医療法の改正が目指してきたもの

　人間の生活に関わる企業や組織の営みは，"安全"，"安心"そして"信頼"を基本としていなくてはなりません．生産性や収益性を優先して，国民の安全，安心をないがしろにした企業は，顧客から選択されなくなり，経営が苦況に立たされた事例は枚挙にいとまがありません．このように国民は"信頼"を選ぶのであり，その基本は"安全"，"安心"です．

　歯科医療施設が患者に選ばれるための"医療の安全"とは何でしょうか．医療法第1条の2には，"医療"とは「単に治療のみならず，疾病の予防のための措置及

びリハビリテーションを含む良質かつ適切なものでなければならない」と記載されています．つまり，"医療施設で行われるすべての包括的なサービスにまつわる安全"が"医療安全"なのです．

いままで歯科では"安全に治療する"ことが"医療安全"と考えられる傾向がありました．しかし，昨今の国民的な意識の高まりを受けて，社会がスタンダードと考えられるレベルの"安全"を，歯科医院でも整備しなければならなくなったのです．

3 安全管理体制の確保

この法改正は，医療施設にとって非常に厳しいといわれてきましたが，具体的に何が"厳しい"のでしょうか．それは，「安全管理のための体制の確保」（医療法施行規則　第1条の11）として，以下の4項目を病院等の管理者に義務づけているからです．

1) 医療に係る安全管理のための指針の整備
2) 医療に係る安全管理のための委員会（以下，医療安全管理委員会）の開催（入院施設を有する医療機関のみ）
3) 医療に係る安全管理のための職員研修の実施
4) 医療機関内における事故報告等の医療に係る安全の確保を目的とした改善のための方策の実施

また，管理者には，体制の確保にあたって講じるべき処置が示されています（医療法施行規則　第1条の11）（**表1-1**）．これらに適応するためには，次の項目すべてに「はい」と言えることが条件となります．

・医療安全管理について指針を作成しているか？
・医療安全管理についてマニュアルを作成しているか？
・医療安全管理の責任者を決めているか？
・医療安全管理の研修を受けているか？
・院内で医療安全管理についてミーティングを定期的に行っているか？

この点からみると易しいと思えるかもしれませんが，実行するとなると…，果たしてどうでしょうか．

4 安全管理体制の整備とは具体的に何をすることか

安全管理体制の整備では，病院等の管理者は，統括的な責任者である**医療安全管理者**"以外にも，院内感染対策，医薬品や医療機器の安全管理など，さまざまな分野で責任者を配置するほか，安全管理のための委員会（**医療安全管理委員会**）を

表1-1　安全管理のための体制の確保（医療法施行規則　第1条の11より抜粋・一部改変）

院内感染対策のための体制の確保に係る措置として次に掲げるもの	イ　院内感染対策のための指針の策定 ロ　院内感染対策のための委員会の開催（入院施設を有する施設のみ） ハ　従業者に対する院内感染対策のための研修の実施 ニ　当該病院等における感染症の発生状況の報告その他の院内感染対策の推進を目的とした改善のための方策の実施
医薬品に係る安全管理のための体制の確保に係る措置	医薬品の使用に係る安全な管理のための責任者（医薬品安全管理責任者）の配置 イ　従業者に対する医薬品の安全使用のための研修の実施 ロ　医薬品の安全使用のための業務に関する手順書の作成及び当該手順書に基づく業務の実施 ハ　医薬品の安全使用のために必要となる次に掲げる医薬品の使用の情報その他の情報の収集その他の医薬品の安全使用を目的とした改善のための方策の実施
医療機器に係る安全管理のための体制の確保に係る措置	医療機器の安全使用のための責任者（医療機器安全管理責任者）の配置 イ　従業者に対する医療機器の安全使用のための研修の実施 ロ　医療機器の保守点検に関する計画の策定及び保守点検の適切な実施 ハ　医療機器の安全使用のために必要となる次に掲げる医療機器の使用の情報その他の情報の収集その他の医療機器の安全使用を目的とした改善のための方策の実施
診療用放射線に係る安全管理のための体制の確保に係る措置	診療用放射線の利用に係る安全な管理（医療放射線安全管理責任者）のための責任者を配置 イ　診療用放射線の安全利用のための指針の策定 ロ　放射線診療に従事する者に対する診療用放射線の安全利用のための研修の実施 ハ　CTエックス線装置（歯科用コーンビームCTは除く），診療用放射性同位元素などを用いた放射線診療を受ける者の当該放射線による被ばく線量の管理及び記録その他の診療用放射線の安全利用を目的とした改善のための方策の実施

開催する（ただし歯科医院などの入院施設を持たない医療施設は除く），あるいはマニュアルや医療事故の報告書も含めた多数の文書を院内に備えておく義務があります．さらに研修も定期的に行わなければなりません．

詳細については，各都道府県知事宛て厚生労働省医政局長通知　医政発第0330010号『良質な医療を提供する体制の確立を図るための医療法等の一部を改正する法律の一部の施行について』（平成19年3月30日）等に記載されています．

改善への取り組みを表1-2に示します．

この安全管理体制の具体的な方策として，指針，責任者，委員会，研修と改善のための方策の実施という枠組みを示しています．

❶ーマニュアルをつくってみる

まずは指針・マニュアルづくりを行います．現在，歯科病院や病院歯科では独自に作成したものがありますが，歯科医院に関しては，日本歯科医師会や各地区の歯科医師会で作成したマニュアルの雛形が示されています．しかし，これは当然現場の実情に合わず，改変しなければならない部分も必ず出てくると思われます．そのときに，院長だけでなく，スタッフ全員がディスカッションを通して安全に関する共通認識を醸成し，マニュアルをつくりあげていくことが大切です．例えば「院長，ここはできません」というようなスタッフの率直な意見を聞きながら，現有の器材やレイアウトまでも考慮した，実効性のあるマニュアルをつくることが，安全

表 1-2 改善への取り組み

医療機関内において	・医療機関内で発生した事故の管理者への報告等を行う． ・あらかじめ定められた手順や事故収集の範囲等に関する規定に従い事例を収集，分析する． ・医療機関における問題点を把握して，医療機関の組織としての改善策の企画立案やその実施状況を評価し，医療機関内でこれらの情報を共有する． ・改善策は，背景要因や根本原因を分析し，検討された効果的な再発防止策等を含むものであること． ・重大な事故の発生時には，速やかに管理者へ報告する．
医薬品安全管理責任者に対して	・医薬品の添付文書の情報のほか，医薬品製造販売業者，行政機関，学術誌等からの情報を広く収集し，管理させる． ・得られた情報のうち必要なものは当該情報に係る医薬品を取り扱う従業者に迅速かつ確実に周知徹底を図らせる．
医療機器安全管理責任者に対して	・医療機器の添付文書，取り扱い説明書等の医療機器の安全使用・保守点検等に関する情報を整理し，その管理を行う． ・医療機器の不具合情報や安全性情報等の安全使用のために必要な情報を製造販売業者等医療機関外より一元的に収集し，得られた情報を当該医療機器に携わる者に対して適切に提供する． ・管理している医療機器の不具合や健康被害等に関する医療機関内外の情報収集に努め，当該医療機関の管理者への報告等を行う．
医療放射線安全管理責任者に対して	・対象となる医療機器を用いた場合の線量管理・線量記録を行う．（歯科医院では該当する医療機器はほぼない．） ・行政機関，学術誌等から診療用放射線に関する情報を広く収集する． ・得られた情報のうち必要なものは，放射線診療に従事する者に周知徹底を図り，必要に応じて病院等の管理者への報告等を行う．

（参考文献：公益社団法人日本医学放射線学会：診療用放射線に係る安全管理体制に関するガイドライン）

管理の基本になるのです．使えないマニュアルを置いておくことは，かえって危険であると考えるべきでしょう．

❷─研修を現場に活かす

　文書を整備するだけでなく，実際にやらなければならない実務も少なくありません．さまざまな研修の実施が義務づけられます（医療安全に係る研修は，歯科医院では院外での研修を受講することで可とされ，年2回程度のほか，必要に応じて受講します）．特に歯科医院では院内ですべてをまかなうのは不可能ともいえますので，各地区の歯科医師会等が中心となって研修プログラムを整える必要もあります．そして，医療従事者が外部の研修を受講したならば，指針作成のときと同じようにその成果を全員で共有すべきであり，問題点を一覧にして，絶えず"カイゼン"*を重ねなければ意味がありません．

*カイゼン
トヨタ自動車を発祥とする業務改善の取り組みのことで，さまざまな企業，団体で応用されている．

❸─医療安全システムの構築

　医療安全は必ず"システム"で行われるものです．したがって，医療安全体制を整備することは，医療施設をシステム化することと同義です．

事例をもとに考えてみましょう．あるスタッフが，注射針をリキャップする際に針を指に刺してしまいました．これは誰の問題でしょうか？　多くの歯科医院では，上手にリキャップしなかったスタッフ個人の問題にしてしまうのではないでしょうか．しかし，実はこれはどのような状況でリキャップをさせているかという，医療施設のシステム自体の問題です．すべてを個人の問題に帰結させ，針刺しが起こりうるシステムを放置するような姿勢は改める必要があります．
　システム化とは，"ある程度修練した者なら誰がやっても同じことができるような体制をつくること"です．
　事故対策を例にとると，事故が発生した際の連絡先を紙に書いて壁に貼り，スタッフ全員に周知します．これがシステム化の一例です．これにより，事故が発生したときに，院長が不在であっても，緊急連絡をどこにどのように行えばよいのかがわかります．もちろん，事故が起こる前の対策もシステム化が必要です．絶えずインシデントの事例を記録し，それを分析します．そして傾向がつかめれば，それを分析し，そこで初めて「マニュアルを書き換えようか？」といった改善＝"カイゼン"にまで発展させることができるのです．まずはシステムをつくっておかないと，何を"カイゼン"すればよいか見えてきません．"カイゼン"は，患者のためのものに見えて，実は自分たちのためでもあります．システムをつくっておけば，医療安全だけでなく，医療経営も"カイゼン"が可能になります．例えば，医薬品の安全管理について責任者を配置する義務が生じますが，上手に管理をさせれば医療安全だけでなく，在庫管理もできるようになります．
　歯科医院では，院長という個人に依拠していた従来型の経営の常識が，大きく変わる可能性があります．院長の名人芸だけでは，医院が成り立たない時代になってきています．名人芸が必要な場合もあるでしょうが，その前提として医院のシステムが構築され，院長は"管理者"，"経営者"であることが求められます．このような意識の転換が今必要なのです．
　また，院長には従来以上にコミュニケーションスキルが求められるようになるでしょう．例えば，毎朝のミーティングで薬剤の添付文書の改定について確認し合う，といった取り組みも必要になってきます．そうなると，次は，誰にその文書を責任もって確認するよう指示するか考えるようになり，自然に院内の命令系統もはっきりしてくるでしょう．
　このように，医療安全の整備を機に，経営管理も安全管理も徹底し，命令系統も明確な高度にシステム化された，新たな歯科医院の姿が見えてくる可能性があります．

（尾﨑哲則）

表 1-3 良質な医療を提供する体制の確立を図るための医療法等の一部を改正する法律の一部の施行について（医薬品安全管理責任者・医療機器安全管理責任者の配置の部分を抜粋）

医薬品安全管理責任者
医療法施行規則第 1 条の 11 第 2 項第 2 号イに規定する医薬品の安全使用のための責任者（以下「医薬品安全管理責任者」という．）を配置することとしている．ただし，病院においては管理者との兼務は不可とすること．そして，医薬品安全管理責任者は，医薬品に関する十分な知識を有する常勤職員であり，医師，歯科医師，薬剤師，助産師（助産所の場合に限る．），看護師又は歯科衛生士（主として歯科医業を行う診療所に限る．）のいずれかの資格を有していること．

医療機器安全管理責任者
医療法施行規則第 1 条の 11 第 2 項第 3 号イに規定する医療機器の安全使用のための責任者（以下「医療機器安全管理責任者」という．）を配置すること．ただし，病院においては管理者との兼務は不可とすること．医療機器安全管理責任者は，医療機器に関する十分な知識を有する常勤職員であり，医師，歯科医師，薬剤師，助産師（助産所の場合に限る．），看護師，歯科衛生士（主として歯科医業を行う診療所に限る．），診療放射線技師，臨床検査技師又は臨床工学技士のいずれかの資格を有していること．

Ⅱ　安全管理責任者としての歯科衛生士

　医政局長通知『良質な医療を提供する体制の確立を図るための医療法等の一部を改正する法律の一部の施行について』（**表 1-3**）では，医療安全を進めるにあたり，医薬品および医療機器の安全管理責任者の資格として，歯科医師のみならず歯科衛生士も明示されています．また，院内感染予防に関しては制限は特にありませんが，歯科衛生士が安全管理責任者を務めることもありえます．歯科医院が人員の配置や職種が病院とは大きく異なり小規模で，歯科医師，歯科衛生士をはじめとし，歯科技工士，その他の従事者のチームワークで成り立っていることなどから，多くの歯科医院で歯科衛生士が安全管理の責任者になりえますし，その実態も増えつつあります（p.147 参照）．

　しかし，ここで問題となるのは，この責任者の資格を裏づけるものとして示されている"十分な知識を有する常勤職員"です．十分な知識については，具体的に明記されていませんが，**安全管理責任者**には歯科の知識のみならず，幅広い医療安全に関する知識が要求されるのです．医療機器，例えば心臓ペースメーカーとの関連は？　といった問題も当然必要とされますし，医薬品，例えば歯科医療で使用している薬剤と影響しあう他科で処方されている薬剤についてもある程度は知っておく必要があります．

　また，歯科医院は，地域において在宅医療のみならず高齢患者を中心に，他の医療機関，専門職種と連携するチーム医療の一角を占めるケースも増えつつあります．したがって，当然，幅広い専門知識とコミュニケーション能力も少なからず要求されます．

歯科医療施設では，医療安全といえば，医療法改正後の関心は，院内感染対策に集中しすぎている感がありました．しかし，先に述べたように，大切なのは歯科医療施設の"安全""安心"の提供を売りにするシステムをどう構築していくかという視点をもつことです．"How to 滅菌・消毒"でなく"How to マネジメント"を考えていく必要があるのです．そして，この法令を前向きに捉えて，とりわけ歯科医院のカイゼンに大きく寄与できる立場となることができるのは，最も患者に近く院長に近い位置にいる歯科衛生士です．

安全な歯科医療の提供は，すべての歯科医療施設の国民に対する"売り"になる可能性があることは間違いありません．

(尾﨑哲則)

COLUMN 1 医療安全に対する歯科衛生士の意識は？

第5次医療法改正に伴い，平成19年度より医療の安全管理のための体制の確保が，歯科診療所の管理者に義務づけられました．しかし，現在でも，一部にその対応が必ずしも十分でない事例も散見されています．そこで，歯科衛生士の医療安全に関する知識等の現状把握を行う目的で意識調査を実施しました[1]．調査は，平成23年4～7月に，無記名の自記式アンケート方式で，福岡県，広島県，東京都および千葉県に勤務する歯科衛生士266名に，広島大学歯学部，東京歯科大学，九州歯科大学の合同調査として実施しました．調査結果は，勤務先種別により，大学病院，病院歯科，歯科診療所の3群に層別化して比較しました．

この結果，いずれの医療機関でもほとんどの歯科衛生士が医療事故につながる可能性の事象を経験していましたが，歯科診療所（以下，診療所）の歯科衛生士では，他の群と比較して「あぶない」と感じた頻度がやや低いことがわかりました．いずれの医療機関の歯科衛生士でも，それらの事象の原因を，個人レベルの問題と認識している者が多く，診療所では，「あぶない」と思った事象のあとの対応や改善策に関する情報共有がやや不十分であることがわかりました．また，診療所では，インシデント等の定義を知っている者がやや少なく，医療安全の報告システムがないと回答した者が多くいました．さらに，診療所では研修に参加していない者や医療安全管理マニュアルがないと認識している者が多く，医療安全責任者を把握していない者が多くいることがわかりました．

これらのことから，医療安全管理体制において，第5次医療法改正の施行から一定期間が経過した現在でも，マニュアル，責任者等について周知・徹底されていない可能性が高いと推察されます．

今後の課題としては，安全・安心な歯科医療の提供には，診療所の医療安全に関する知識の普及・啓発に関する取り組みの一層の推進が急務と考えられます．

(福泉隆喜)

Ⅲ 医療安全をいかに共有するか

1 医療の"不確実性"について

　医療の安全を確保するうえで，医療そのものがもつ危険性について十分に配慮しておかなければなりません．そもそも医療は"不確実性"を有しています．人によって侵襲に対する身体の反応は異なります．薬であれ処置であれ，すべての治療行為は人体に対する侵襲にほかなりません．同じ診断名の疾患を有している患者に対して，同じ治療行為を行ったからといって，必ずしも同じ結果となるわけではありません．これを**医療の不確実性**とよんでいます．ましてや，複数の疾患を有する患者や複数の薬を服用している患者においては，その種類が多ければ多いほど，結果の予測が困難となります．複数の薬を服用している場合，それらの薬による有害事象の発生リスクも高くなります．これを**ポリファーマシー**といいます．超高齢社会を迎え，ポリファーマシーへの対策も求められています．

　どんなに多くの症例を経験した医療従事者であったとしても，医療の場合，処置に対して予測できない未知の反応や結果を招く可能性があります．症例数の多さを宣伝することで，患者に成功確率の高さを誤認させる恐れもあります．患者に正しく医療の限界と不確実性を伝えること，どの患者に対しても慢心することなく細心の注意を払うことが，医療の不確実性を埋めるうえで必要不可欠です．

　もう一つ，"治る"という言葉の認識も，医療従事者と患者とで異なることも忘れてはなりません．多くの場合，患者は完全に元通りになることを"治る"という言葉に期待しています．一方，医療従事者側は元通りではなくても害のない，あるいは害が軽減した状態をイメージしているでしょう．歯科医療についていえば，完全に元通りになる治療はほぼないでしょう．そうかといって，患者に"治りません"と言ってしまうと，不治の病か死をイメージすることは想像に難くありません．治療のゴールを患者と一緒に設定し，治療方法を含めて情報を共有することが，この言葉の認識の溝を埋めるために欠かせないプロセスとなります．この意思決定のプロセスを，shared decision making といいます．

2 医療安全の共有とは

　医療における有害事象とは，患者が元々もっていた疾病・負傷以外の害を医療行為から受けることをいいます．些細な判断ミスがきっかけであったとしても，程度の差はあれ，結果として有害事象に至る可能性があります．

　よく，"安全は文化である"といわれます．人は誰でも不安全行動をとります．

得られる利益が不利益を上回ると自分で判断したときに，それが不安全であると認識していても利益を優先した行動をとってしまうものです．規則を破ったことは誰でもあるでしょう．その規則違反が招く結果が軽微なものか重大なものかも，自己の判断に過ぎません．「不安全な行動は決してとらない」，「利益・不利益の判断を自分だけでしない」，医療に限らずそのような態度を習慣化することが文化に例えられるのです．

　自分だけの判断に頼らないためにも，情報の共有は欠かせません．医療に関わる情報は，患者の情報が中心であり，診察所見，検査結果，病名，治療方針，予後，治療期間，治療費，通院歴，医療保険や介護保険など，さまざまなものがあります．これらの情報を患者と医療従事者，医療従事者同士，医療機関や保険者などの組織間，さらには職能団体や学会などの職業集団で共有することが考えられます．患者本人との情報共有以外では，患者から同意を得ることが必要となります．「なぜ情報共有が必要なのか」，患者が理解できるよう説明しなければなりません．単に医療を行ううえで必要だから，ということだけではなく，安全な医療を提供するためという観点をもって説明を行うようにすべきです．

3　誰が誰と何を共有するのか

　医療事故とは，「医療に関わる場所で医療の全過程において発生する人身事故一切を包含し，医療従事者が被害者である場合や廊下で転倒した場合なども含む．」と定義されています．その発生要因の多くは，**コミュニケーションエラー**を含んでいるといわれています．"治る"という言葉の認識の違いを例に出しましたが，患者と医療従事者との間にはそれ以外にも多くの認識の齟齬があります．医療従事者にできることは，患者の立場に立ち，気持ちに寄り添って，十分に話を聴き，十分に説明を尽くすこと以外にありません．医療従事者の先入観ですら，患者の言葉の解釈を誤る要因になります．

　患者と医療従事者の間だけでなく，医療従事者間のコミュニケーションにもエラーが発生します．正しい情報伝達には，同じ専門職同士であれば専門用語を用いること，逆に専門が異なる場合には専門用語を用いないことが肝要です．また，事故防止のために必要な正しい情報を得るための会話手法として，日本航空株式会社（JAL）では「確認会話」という会話手法の事例集を作成していたり，医療の世界ではSBAR（エスバー）＊という会話手法が開発されたりしています．こういった会話手法を身につけ，エラーのない正しい情報伝達を行える能力を身につけましょう．

＊SBAR
必要な情報を確実に交換，共有するための会話手法で，まず自分がどこの誰かを名乗った上で，以下の順に相手に情報提供する．
①Situation：現在の状況を具体的に伝える．
②Background：患者の背景・状態を伝える．
③Assessment：自分の状況評価を伝える．
④Recommendation：何を欲しいのかを提案する．
これらの情報を相手に伝えることで，誤解のない情報共有と相手からの的確な指示等が期待できる．緊急時にこのような情報伝達を端的に行うことは極めて難しい．日頃から定型的な会話手法として訓練しておく必要がある．

4　歯科医療としてのプロフェッショナリズム

❶─医療倫理の4原則

　医療の倫理は，古くは『ヒポクラテスの誓い』まで遡ります．この伝統的な**パターナリズム**，すなわち患者は医師に任せておけばよいとする倫理感は，医学の進歩と患者の自己決定権が普遍化することにより，見直されることとなりました．現代における医療倫理は，BeauchampとChildressが提唱した以下の4原則が著名です．

> ①**自律尊重**〈Respect for Autonomy〉
> 　患者は自らの意思で選択する権利を有する．それを尊重しなければならない．
> ②**無危害**〈Non-maleficence〉
> 　患者に害を与えてはならない．
> ③**善　行**〈Beneficence〉
> 　患者の利益を優先しなければならない．
> ④**正　義**〈Justice〉
> 　すべての患者は公平・公正に扱われなければならない．

　歯科医療を提供するにあたっても，これらの原則は守られなければなりません．無危害原則と善行原則は医療の安全が確保された結果であり，自律尊重は前項で述べたとおり安全を確保するうえで必要なプロセスに欠かすことはできません．

❷─プロフェッショナリズム

　プロフェッショナリズムとは，単に職業倫理を意味するのではありません．人々にとって重要な利益，医療においては生命や健康を扱う専門職集団（**プロフェッション**）の職業倫理のことをいいます．医療従事者たる者こうあるべき，といったものですが，漠然として捉えがたい面があることも否めません．そこでSternらは医療者のプロフェッショナリズムを評価するために，**図1-1**のようなモデル化を行いました．医学的専門知識が特記された臨床能力が一番下の土台となっています．これは医療専門職である前提条件です．次に前項でも重要性を述べたコミュニケーション技術があげられています．人を対象とする限り，また，病の情報は患者本人にしかわからないことがあるため，患者とのコミュニケーションは欠かせません．医療が高度化・専門分化し，チームで治療にあたるためにはチーム内でのコミュニケーションも欠かすことができません．さらにその上には倫理的・法的解釈があり，これも前述の不安全行動をとらない行動や，医療倫理の4原則に則った行動の前提条件となります．これらの土台の上に4本の柱が立っています．

図1-1 Sternの神殿モデル
(Measuring Medical Professionalism by David Thomas Stern (2006)
Fig. 2-1 プロフェッショナリズム総論　大生定義　京府医大誌 120 (6), 395-402, 2011.[2] より一部改変)

①利他主義〈Altruism〉
　自分のためでなく，他人の幸福・利益を第一の目的とする．
②説明責任〈Accountability〉
　患者から委託された医療という任務についての説明責任，報告義務を果たす．
③人間性〈Humanism〉
　人間愛に基づき，人類全体の福祉の向上を目指す．
④卓越性〈Excellence〉
　人々にとって重要な生命や健康を担ううえで，卓越した能力をもっていなければならない．

　これらの土台と柱に支えられてプロフェッショナリズムは成り立っているとして，プロフェッショナリズムを具体化しています．

❸─歯科衛生士の倫理綱領（公益社団法人日本歯科衛生士会）

　公益社団法人日本歯科衛生士会は，わが国の歯科衛生士の専門職としての責務を果たすための業務実践の行動指針として「**歯科衛生士の倫理綱領**」（2019年）[3] を公表しています．前文，条文，解説で構成されていますが，ここでは条文のみを引用します．

> 1. 歯科衛生士は，人の生命，人格，人権を尊重する．
> 2. 歯科衛生士は，平等，公平，誠実に業務を遂行する．
> 3. 歯科衛生士は，十分な説明と信頼関係に基づき業務を遂行する．
> 4. 歯科衛生士は，人々の知る権利および自己決定の権利を尊重し，擁護する．
> 5. 歯科衛生士は，守秘義務を遵守し，個人情報の保護に努める．
> 6. 歯科衛生士は，対象となる人の口腔の健康が阻害され危険にさらされているときは，その人を保護し，安全を確保する．
> 7. 歯科衛生士は，歯科衛生士法および関係諸法令を遵守し，業務の質および自律性の確保に努める．
> 8. 歯科衛生士は，自己研鑽に励み，専門職としての能力の維持向上・開発に努める．
> 9. 歯科衛生士は，他の保健医療福祉関係者と連携・協働し，適切な口腔健康管理の確保に努める．
> 10. 歯科衛生士は，業務の質を高めるために望ましい基準を設定し，実施する．
> 11. 歯科衛生士は，業務の実践や研究を通して歯科衛生学の発展に寄与する．
> 12. 歯科衛生士は，対象となる人の不利益を受けない権利，プライバシーを守る権利を尊重する．
> 13. 歯科衛生士は，より質の高い業務を実践するため，健康的な職業生活の実現に努める．
> 14. 歯科衛生士は，社会や人々の信頼を得るよう，個人としての品行を高く維持する．
> 15. 歯科衛生士は，健康に関連する環境問題について社会と責任を共有する．
> 16. 歯科衛生士は，口腔の健康を保持増進するための制度や施策を推進するため，専門職組織を通じて行動し，よりよい社会づくりに貢献する．

　医療倫理の4原則やSternの神殿モデルと同様の内容がより具体的に示されています．これらをお題目のように唱えることができることが，プロフェッションではありません．安全の確保を文化に例えたように，考えずともこのように振る舞うことができるようになって初めて，プロフェッションといえるのです．

　繰り返しになりますが，医療の安全を確保するうえでも医療従事者の職業倫理やプロフェッショナリズムは欠かすことのできない能力といえます．

5　マネジメントの進め方

　医療の安全を確保するためには，個々の医療者の努力だけでは不十分です．安全の確保はシステムとして行うのが原則です．情報共有，コミュニケーションの重要性は前述のとおりで，システムとしての安全管理，組織としてのマネジメントが重要となります．マネジメントのうえでは安全文化の醸成という観点も忘れてはいけません．

　歯科医療機関は，病院から歯科診療所まで組織の規模はさまざまです．そのほとんどは小規模の歯科診療所であり，安全管理責任者は医療機関の管理者が兼務する

CHAPTER 1 医療法と歯科衛生士

ことが多いでしょう．一方，病院や大規模な診療所となると，管理者とは別に**安全管理責任者**を配置するのが普通です．当然，安全管理責任者が中心となってマネジメントを行うのですが，安全管理責任者にすべてを任せ，個々人が上意下達*で言われるとおりに従えばよいのでは決してありません．ほかにも医療法で配置が義務づけられている**医薬品安全管理責任者，医療機器安全管理責任者，医療放射線安全管理責任者**といった部門別の責任者（表1-2参照）や，個別の現場担当となるリスクマネジャーといった階層化された指揮命令系統が存在します．さらに現場では上司（先輩），同僚，部下（後輩）がいて，職種としては歯科医師，歯科衛生士，歯科技工士，歯科助手，受付など多様なスタッフが関わっています．これらすべての関係者との報告・連絡・相談，いわゆる「**報・連・相（ほうれんそう）**」をいかに緊密に迅速に正確に行うかが，極めて重要となります．何かを行う前の相談，行った後の報告，あらゆるプロセスでの連絡を密に行うことで，情報の共有と相互の確認体制が確立されるからです．この「報・連・相」を行うことも個人の判断と習慣によるものとなりますから，上から言われたからやるということでは済まされないことがわかるでしょう．加えて，記録に残すことも大切です．

医療事故と人身事故には至らなかったヒヤリハットの両方を含めたインシデントが発生した場合，自分が当事者ではなかったとしても直ちに情報を共有するようにするべきです．そのインシデントは，重大な事故を招く可能性のある重大インシデントかもしれません．個人の判断では重要性を正しく評価できない可能性があります．ましてやインシデントを隠蔽するようでは，組織として安全を担保できなくなってしまいます．より安全な医療を提供するためにその情報を活用することが，安全な医療を提供していくために必要不可欠なことであることを全スタッフが認識し，隠すことなく，速やかに情報共有できる環境づくりをすることがマネジメントのうえで大切です．

（平田創一郎）

*上意下達
上司やリーダー，先輩など上位に位置する者の意思や命令を部下や下位の者に徹底させること．

COLUMN 2 歯科衛生士のプロフェッショナリズム

一般にプロフェッショナリズムは，高い専門性を有する知識と技術を前提とし，その証として歯科衛生士には厚生労働大臣から免許が与えられます．歯科衛生士には，さらに，医療従事者の一員として倫理性と公益性が求められます．これは社会貢献に他なりません．また，患者さんとの信頼関係構築のためには，コミュニケーション能力も必須です．これらの要件をすべて満たすには，生涯にわたり学び続けることが不可欠であり，このことでプロフェッショナリズムが支えられるのです．

それでは，歯科衛生士の専門性とは何でしょう

か．歯科衛生士の業務は，歯科衛生士法制定時（1948年），保健所での歯科疾患の予防を行う職種としてスタートし，歯科診療の補助や歯科保健指導は，その後の法改正で追加されたものです．つまり，予防に特化した医療職種として誕生したのです．このような職種は多くの医療関係職種の中でも歯科衛生士だけです．今日，歯科衛生士の需要が大きく増加したことは，予防の概念が，当初のう蝕や歯周病の予防から，再発予防や重症化予防へと拡大し，さらに，周術期口腔機能管理に代表される全身的な疾患の予防へと成長したためでしょう．歯科衛生士は，地域包括ケアシステムの一員として多職種連携を進めることが求められ，そのためには他の職種の業務を知ることが不可欠です．歯科衛生学科の学生に他職種の業務内容をビデオなどで紹介すると，各々の職種の専門性に驚く者が少なくありません．しかし視点を変え，他職種や国民からみると，歯科衛生士は歯・口腔の専門家にほかなりません．患者さんの口の中に手を入れて，鋭利な器具を用いて，治療や予防を行うことは，歯科衛生士にとっては日常的な業務ですが，高い専門性と患者さんとの信頼関係がなければ，行えないことです．多職種連携を進めるにおいて，各々の職種・専門性に対して，常に敬意をもって接することが必要であり，そうすることで，歯科衛生士は相手から敬意を得ることができるのです．

　かつての歯科治療は比較的，リスクが低いと考えられていましたが，患者の約4割が65歳以上の高齢患者であり，いわゆる基礎疾患，それも多病であることが決して珍しくありません．口腔は，気管と食道の開口部であり，絶えず，誤飲，誤嚥のリスクを負っています．さらには，局所麻酔薬の使用や観血的処置を日常的に行っています．歯科治療に関する知識や技術を絶えず向上させることに加えて，院内感染防止を含めて安全・安心な歯科医療を提供するために平素から準備することが，歯科衛生士のプロフェッショナリズムの要をなします．

（鳥山佳則）

6　リスクやミスを共有するコミュニケーション

　十分なコミュニケーションは，さまざまな状況でリスクやミスを減らすために効果的です．患者と十分コミュニケーションをとることにより，医療従事者は患者の不安や期待を明らかにすることができます．また，医療従事者間でのコミュニケーションは患者情報の共有や院内安全情報の共有に有効です．このときのコミュニケーションの前提として大事なことは，**個人を非難しない環境**（no blame culture）を育むことです．リスクを発見したり，ミスを起こしたりした医療従事者の陥りやすいことですが，その情報が共有されることを阻むことがあります．それは，「これを言うと非難されるかもしれない」「責任を負わせられる」と思う心理が働くからです．この心理は多くのリスクやミスがいつも必ず生じるものではないため，それが生じるのは担当する自分の対応が悪い場合，あるいは未熟だからだという，誤った思い込みからくることが多いのです．しかし，往々にして，リスクやミスの存在は，医療施設全体のシステムに問題がある場合も少なくありません．リス

クを回避するには，そのような心理に対し，個人を受容できる温かな環境がない限り，リスクやミスに気がついた担当者はそれを明らかにできませんし，当然医療従事者間の情報の共有ができず，今後の予防を図ったりすることなどもできません．

　米国の月面有人着陸プロジェクトであるアポロ計画は，当初失敗の連続であったとのことです．当時，着任したGeorge Mueller，NASA副長官が，最も重視したことは組織のコミュニケーションを円滑にするシステムづくりでした．コミュニケーションを図るためには，そのシステムと個人のコミュニケーション技法が必要となります．対人関係を円滑にするコミュニケーション技法は多数ありますが，医療従事者に最低限必要なコミュニケーション技法として重要と思われるものに，後述する三大コアスキル（**聴くスキル**，**質問するスキル**，**伝えるスキル**）という技法があります（p.123 参照）．

7　会議・ミーティングの活用法

　医療従事者が働く職場環境を安全で楽しく快適にするためにも医療安全の会議・ミーティングを有効活用します．年に数回，医療安全のテーマを決めて勉強会を開催することも有用ですが，毎月1回程度，医療安全を脅かす身近な事例（ヒヤリ・ハット事例）について現状の課題と対応策の共有を行うとよいでしょう．前項で述べたようなno blame cultureが定着すると，参加者が自発的になり有意義な会議になるので，参加者の医療安全に対するモチベーションが高まります．さらには複数の医療機関のスタッフ同士がヒヤリ・ハット事例を共有することにより，医療安全に対する新たな気づきが芽生えることもあります．会議の際にもう1つ大事なことは，あらかじめ会議時間を決めておくことです．時間制限のない会議では，議題が脇道に逸れて徒に時が過ぎていく結果になりかねませんし，その場合は参加者の意欲は低下します．一般的に医療安全の会議は30分程度で終了し，決まった事柄と保留になった事柄をノートに記録し，誰もが閲覧できるようにしておくのがよいでしょう．

8　医療安全から安心，信頼へのプロセスについて

　医療には"不確実性"がつきまとうため，"絶対に安全"ということはありません．しかし，医療従事者の努力により患者との信頼関係を構築し，より安全な医療を提供することは可能です．

　Thomは，図1-2に示すように，患者に信頼を与える因子をわかりやすく整理しています[4]．これらのすべてが実践できれば，より安全で患者の信頼を得る医療を提供することにつながるでしょう．

①適切な診査と診断の徹底
②患者の経験の理解
③患者への気遣いを示す
④適切で効果的な治療の提供
⑤明確で正確なコミュニケーション
⑥パートナーとしての関係の構築
⑦患者に誠実で，敬意を示す

図1-2 信頼に影響を与える因子[4]

最後に英国の医学教育者Harden[5]は，医療について3つの同心円からなるthree circle modelを用いて，「正しい人が，正しい方法で，正しい行為を行う（The right person doing it, Doing the thing right, Doing the right thing）」と述べています．これは，医療従事者が医療を遂行するにあたって，プロフェッショナリズムをもち，正しい方法を理解したうえで，正しい医療行為を行うこと，と読み取ることができます．はじめは困難があると思われますが日々"高み"を目指す努力によって，より安全な職場環境がつくられ，職場はおのずから活性化すると思われます．

（木尾哲朗）

Ⅳ　安全管理と歯科衛生士の自覚

1　新しい分野での社会的役割

　歯科衛生士の業務は歯科衛生士法で定められているように，歯科医院は医療法という法律のもとで運営されています．
　平成19年4月に施行された第5次医療法改正に伴う医政局長通知『良質な医療を提供する体制の確立を図るための医療法等の一部を改正する法律の一部施行について』において，歯科衛生士が「医薬品の安全管理体制」と「医療機器の安全管理体制」についての管理責任者となりうる職種と明記されました．
　当然，歯科医師も管理責任者の職種となっていますので，開設者（院長）がその役割を担う場合が多いのですが，歯科衛生士が託されたときには，その対応に勤めなければなりません．
　新人の時には，決して声はかからないでしょうが，信頼関係の中で，その責任を任される時期がやってくるでしょう．責任とは，辞書を引くと「人が引き受けてなすべき任務のこと」となっています．法律上の責任となると，対社会的・対個人的

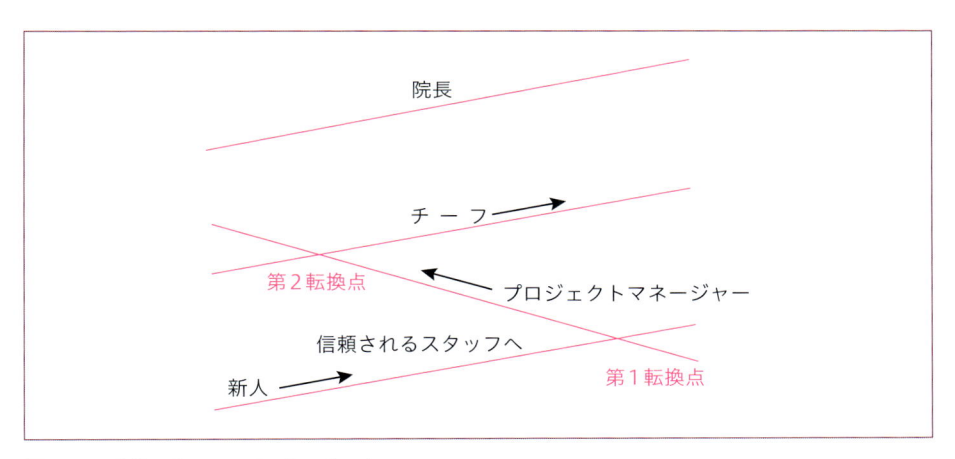

CHAPTER 1 医療法と歯科衛生士

図1-3 職位にあてはめたパイプライン
原図は，企業における一般社員から役職，経営責任者まで6つの職位が転換点に上がるジグザグ線のモデルで示されているが，これを歯科医院の一例として改変したものである．各転換点で今までのスキル，業務時間配分，職務意識を変え，新しいマネジメント方法を身につけ，古いやり方を捨てて対応しなければならない．〔Ram Charan ほか 2004[6]〕を改変〕

な一定の制裁を伴うものとなります．

したがって，その職務の重みを自覚して，法律を理解する必要があるでしょう．

ちなみに，平成26年施行された第6次改正では，「地域包括ケアシステム」の構築を見越して，医療機関における勤務環境の改善が謳われており，歯科医院での勤務環境改善マネジメントシステムの導入が求められています．その分野においても，医療スタッフとしての役割は重要です．

2 一人ですべての把握はできない

たかが，薬品と医療機器についての管理なのだと侮ってはなりません．

歯科医療サービスは，チームワーク医療ですので，歯科医院で使用されている薬品と器具・機材をすべて一人で管理することなどできません．

管理は分業であり，あくまでその部分の総括を担当しているのだという意識で，他のスタッフの協力を仰ぐ必要があります．

3 安全管理責任者としての自覚

組織の中では，職位にあてはめたパイプラインが存在しています（図1-3）．

パイプラインは，ジグザグに曲がっていて，それぞれの曲がり角で職位が変わることを示しています．転換点では今までの仕事の延長ではなく，新しい役割を担うことになるので，新たな分野を学ぶ必要があります．ラインが下がったところに始点があるのはそのためで，初心に戻り謙虚になれと示しています．

17

管理責任者となるということは，すでに一般のスタッフとは，違った立場にあるということを認識しなければなりません．
　一般のスタッフと管理責任者（プロジェクトリーダーを含む）では，スキル・業務時間配分・職務意識が違ってくるからです．

4　管理責任者としての職務

　新しい役割を担う場合，その職務を理解し，今までの個人の固定化された考えや，やり方を改めていきます．
　その場合，3つの職務要件を確認する必要があるでしょう．

> ①スキル‥‥‥‥‥‥新しい責務を全うするために必要な新しい能力
> ②業務時間配分‥‥‥どのように働くかを規定する新しい時間枠
> ③職務意識‥‥‥‥‥重要性を認め，注目すべきだと信じる事柄

　この場合の「スキル」とは，仕事の計画性，仕事の割り振り，実施の確認などを示します．歯科医院の中で混乱なく作業を進める場合，目的を明確化して担当者を決め，計画を立ててミーティング等で話し合いながら実施することになります．自分の仕事を「する」の状態から，人に仕事を「していただく」ことになりますので，まず自分の認識を変えていきましょう．
　「業務時間配分」は，他のスタッフに託した業務が確実に，また効率的に実施されているかを確認するための時間が必要となります．
　自分の今まで行ってきた仕事に加えて，他のスタッフの仕事を確認するための時間を確保しなければなりませんので，自らの業務の効率化・単純化を進めて，時間の有効活用に取り組む必要が出てきます．また，共に話し合える場をつくり，語り合う時間を持つことが大切です．
　一番難しいのは，「職務意識」を変えることです．
　人を動かす立場になるということは，その事に意義を見出さなれければなりません．
　時間を他のスタッフのために割くことや，計画を立てて実践すること，またうまくいかない場合にスタッフの意見を聞くこと，改善策を練ることなどが自分の責務であるのだと自覚しましょう．
　さらに，歯科医院が組織として動くことが自分の成長につながると考える必要もあります．
　管理責任者になったからといって，スタッフが言う事を聞いて動いてくれるとは限りません．
　「経営の神様」と言われるパナソニック創始者の松下幸之助氏は，人を動かす人の条件に次の7つを示しています．

表 1-4 医療施設における役割による 3 つの仕事の取り組み方の違い

職務要件	スタッフ	プロジェクトリーダー （管理責任者含む）	チーフ
スキル	・社会人としての常識，専門的な習熟度を上げる ・チームプレイ ・個人的な成果のための関係構築	・医院のツールを使いこなすこと ・プロジェクトの計画を立てる	・業務の設計 ・戦略の実行 ・プロジェクト実施度の確認 ・個人の強みの活用 ・話し合いの場の設定 ・コミュニケーションと雰囲気づくり ・経営資源の活用
業務時間 配分	・日常的規律 ・担当しているプロジェクトの期日を守ること—通常自分で管理できる範囲の短期的なもの	・ミーティング時に，プロジェクトに関しての提案 ・時間をつくること（現在の業務の単純化・効率化）	・業務時間を使っての，年次計画 ・予算・全体のプロジェクト動向確認 ・患者，納入業者とのコミュニケーションの時間をとる
職務意識	・個人の専門性を通して成果を出すこと ・専門性の高い仕事の実施 ・医院の理念を受け入れること	・プロジェクトの実行 ・仕事への重要性の認識 ・やるべきことを明確化	・中間管理職としての認識 ・スタッフから成果を引き出すこと ・管理業務と規律 ・誠実な態度 ・組織としての貢献

①明確な志　②素直　③元気　④運
⑤愛嬌　⑥感謝　⑦謙虚

さらに，1 つの仕事を任される立場の人間は，医療法の管理責任者だけではありません．

スタッフ全体をまとめる管理職（チーフ等）になれば，その職務はさらに広がっていきます．

そのためにも，自らの仕事の取り組み方を，今一度整理しておきましょう（表 1-4）．

（小原啓子）

参考文献

1) 神田 拓，矢野加奈子，杉戸博記，福泉隆喜，日髙勝美：歯科衛生士における医療安全に関するアンケート調査．日本歯科医療管理学会雑誌，48（3）：229-237，2013．
2) Measuring Medical Professionalism by David Thomas Stern（2006）Fig. 2-1　プロフェッショナリズム総論　大生定義　京府医大誌 120（6），395-402, 2011．
3) 日本歯科衛生士会：歯科衛生士の倫理綱領．　https://www.jdha.or.jp/aboutdh/ethics.html
4) Thom, DH, et al：Patient-physician trust：an exploratory study. J Fam Pract 44（2）：169-176，1997．
5) Harden, RM, Crosby, JR, Davis, MH：AMEE Guide No 14；Outcome-based education, Part 1D An introduction to outcome-based education. Medical Teacher 21（1）：7-14，1999．
6) ラム・チャランほか：リーダーを育てる会社つぶす会社．人材育成の方程式，英治出版社，2004．

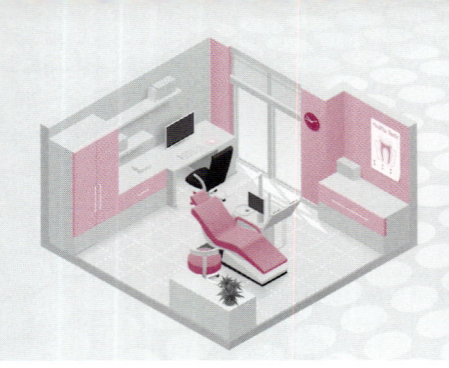

CHAPTER 2
安全管理責任者としての業務を理解しよう

I 医薬品の安全管理

1 管理責任者としての業務の基本

医療安全管理責任者とは，医療法施行規則第1条の11に定められた統括的な責任者である医療安全管理者（病院等の管理者：院長）が選任する医薬品の安全管理責任者のことです（歯科医院では院長が兼任することができる）．医薬品安全管理責任者としての業務は，院長の指示のもとに，医薬品に関する安全性や経済性を考慮した管理を行うことであり，医薬品に関しては，リスクマネジメントを行う視点で，使用する薬品の安全性，使用法，副作用への対応などを改めて確認する必要があります（図2-1）．なお，病院においては，歯科衛生士は安全管理責任者の補佐を行うことが多いのが実情です．

❶―医薬品の安全使用のための業務に関する手順書（以下，「医薬品業務手順書」）の作成

医薬品業務手順書とは，医薬品の取り扱いに係わる業務の手順を文書化したもので，主な項目は以下のとおりです．

(1) 医薬品の採用・購入に関する事項
(2) 医薬品等の管理に関する事項：医薬品の保管場所，法令で適切な管理が求

①医薬品の安全使用のための業務に関する手順書の作成

②従事者に対する医薬品の安全使用のための研修の実施

③医薬品の業務手順書に基づく業務の実施

④医薬品の安全使用のために必要となる情報の収集，医薬品の安全確保を目的とした改善のための方策の実施

図2-1 医薬品安全管理責任者の業務

められている医薬品（毒薬，劇薬，特定生物由来製品等）
（3）患者の薬剤服用歴等の情報収集
（4）医薬品の安全管理に係わる情報の収集，提供に関する事項
（5）その他

　厚生労働省は，『医薬品の安全管理のための業務手順書作成マニュアル』（平成30年改訂版）に，手順書に定めることが望ましい細項目（①医薬品等の管理，②医薬品・薬物・歯科材料の使用に当たっての確認等，③処方・調剤，④調剤薬の交付・服薬指導，⑤局所麻酔薬の使用，⑥消毒薬の使用，⑦歯垢染色剤，う蝕検知液，フッ化物の使用，⑧血液製剤の使用，⑨他施設との連携，⑩在宅患者への医薬品使用，⑪医薬品情報の収集・管理・提供，⑫医薬品に関連する事故発生時の対応，⑬教育・研修）を掲載していますので，参考にするとよいでしょう．

　また，手順書の作成については，日本歯科医師会「歯科診療所における医療安全を確保するために」（平成19年6月）をはじめ，各地区歯科医師会が手順書例を作成していますので，これらの例を参考に自院の実情に基づいてオリジナル化するとよいでしょう．参考までに，歯科衛生士への業務範囲を勘案した手順書具体例を巻末に示しました（付3, p.162）．

　医薬品安全管理責任者は，従事者の業務が医薬品業務手順書に基づいて行われているか定期的に確認し，その内容を記録しなければなりません．そのための医薬品管理簿や保管チェック表などを有効に活用します（p.27）．

　なお，実際の現場の業務においては，院長の指示のもとに手順書を作成してください．

　また，業務手順書は管理・使用だけに留まらず，教育や研修に活用し，医療事故防止に有用なものを作成します．さらに，作成後も必要に応じて定期的に見直しを行い，現場の運用状況に合わせたより良いものに改善していきましょう．

　良いプロセスは良い結果を生むといわれます．自院で効率的で実行可能な良い手順書を作成することが，良いシステムの構築につながります．

❷ー医療従事者に対する医薬品安全使用のための研修実施

　医療にかかわる安全管理のための医療従事者研修は，安全管理のための基本的考え方および具体的方策について，医療従事者に周知徹底を行うことで，個々の医療従事者の安全に対する意識，安全に業務を遂行するための技能やチームの一員としての意識の向上等を図るためのものです．

　研修は，歯科医院では自施設での計画的・定期的な研修会，報告会，事例分析，伝達講習，文献や書類の抄読会*等の実施を行うことが望ましいですが，歯科医師会・歯科衛生士会や学会等主催の外部の講習会や研修会の受講による研鑽でもよいとされています．

*抄読会
自分が興味をもった論文や著書をテーマに，その内容をほかのスタッフにプレゼンテーションを行うという勉強会の一種．

研修の実施については，院長の指示のもとに必要に応じて行いますが，ほかの医療安全にかかわる研鑽と併せて実施することもできます．研修の主な内容は以下のとおりです．
（1）医薬品の有効性・安全性に関する情報，使用方法に関する事項
（2）医薬品の安全使用のための業務手順書に関する事項
（3）医薬品による副作用等が発生した場合の対応に関する事項

❸—医薬品の業務手順書に基づく業務の実施

医薬品安全管理責任者は，業務の実施が医薬品業務手順書に基づいて行われているかについての定期的な確認と確認の内容を記録することが求められます．

❹—医薬品の安全使用のために必要となる情報の収集，報告義務

医薬品安全管理責任者は，医薬品の添付文書の情報のほか，医薬品製造販売業者，行政機関，学術誌等からの情報を広く収集し，得られた情報のうち必要なものは医療従事者に周知徹底を図ります．また，医薬品医療機器等法において，①製造販売業者等が行う医薬品や医療機器等の適正な使用のために必要な情報の収集に対して病院等が協力する必要があること等（医薬品医療機器法第77条の3第2項および第3項），②病院若しくは診療所の開設者又は医師，歯科医師，薬剤師その他の医療関係者は，医薬品や医療機器について，副作用の発生を知った場合において，保健衛生上の危害の発生又は拡大を防止するため必要があると認めるときは，厚生労働大臣に対して副作用を報告することが義務づけられていること（医薬品医療機器等法第77条の4の2第2項）に留意する必要があります．

2　医薬品に関連したインシデント，アクシデントへの対応

エラーを招く要因のひとつとしてコミュニケーションの失敗があります．「先生から薬の口頭指示を受けたけど，マスク越しではっきり聞こえなかった…」，「何度も聞いたら怒られそう…」といった，不明確なことへの再確認を怠る，あるいは確認することへの躊躇のため薬の量を間違えて与薬してしまったというインシデント，アクシデントの発生も実際に起こりえます．これは，安全行動の基本である"確認"ができなかったということに尽きます．特に新人の立場からすれば，往々にして未熟さゆえに何度も聞き返すことができないと思い込むことがあります．しかし，医療従事者はインシデント，アクシデントは避けなくてはなりません．安全管理責任者は従事者間のコミュニケーションを阻害する要因を日頃から考える必要があります．

例えば，アサーティブコミュニケーション*などにより，円滑なコミュニケー

---

*アサーティブコミュニケーション
相手の立場や行動を尊重しながら，自分の主張を誠実に対等に伝えることのできる態度や行動の理論と方法論．

ションができる環境づくりを心がけることも有効な手段です．

　薬袋への誤表記や渡し忘れなどのインシデントも散見されます．口頭指示を受け薬袋に患者氏名を表記しようとした時にほかの業務が舞い込み，近くにいたほかの医療従事者に口頭で依頼し，その場を離れてしまった結果，患者氏名に誤表記が生じたという例もあります．基本的には，口頭指示は避けるべきです．そして，インシデントやアクシデントは特に仕事を引き継ぐ時に起こりやすいため，指示を受けた仕事は途中で人に任せたりせず，1人で最後まで行いましょう．さらに，作業後はダブルチェック，トリプルチェックを行うようにすると万全です．

（淀川尚子）

COLUMN 3　医療安全の5S

　産業界における5Sによる安全確保の取り組みの効果から医療の場に取り入れられた方法です．5Sとは①整理（seiri）：不要なものを捨てること，②整頓（seiton）：使いやすいように配置すること，③清潔（seiketsu）：整理，整頓，清掃した状態を維持すること，④清掃（seisou）：環境をきれいにして，点検整備すること，⑤躾〔(sitsuke)習慣化〕：身につけること，を意味します．あたりまえのようですが，多忙な医療の現場では，なかなか行われていないのが現状です．5Sによって整備された環境でエラーを誘発する要因を低減させることにより，医療事故防止も可能となります．5Sの視点で薬品管理を行ってみるとよいでしょう．

（淀川尚子）

3　歯科医院における医薬品安全管理業務の例

　歯科医院における院長の医療安全管理者としての業務体系は，図2-2のとおりです．この図のように，医薬品安全管理，医療機器安全管理，院内感染対策，感染性廃棄物管理は，相互に関連しています．歯科衛生士が責任者を任せられた場合は，このような体系図を念頭に院長の指示に基づき業務を遂行する必要があります．

　ここでは，歯科医院における医薬品安全管理責任者の実際の業務例を示します（この例では，院長が医薬品安全管理責任者を兼務している）．

　医薬品安全管理については，病院では薬剤部や材料部，検査部などの専門部署や専任者が業務を行いますが，歯科医院では人員も限られているため実態に合わせて安全の確認要素を簡素化し，日常的に確実に実施することが求められます．特に歯科材料の管理は品目が多いだけに欠品が出ないよう注意します．

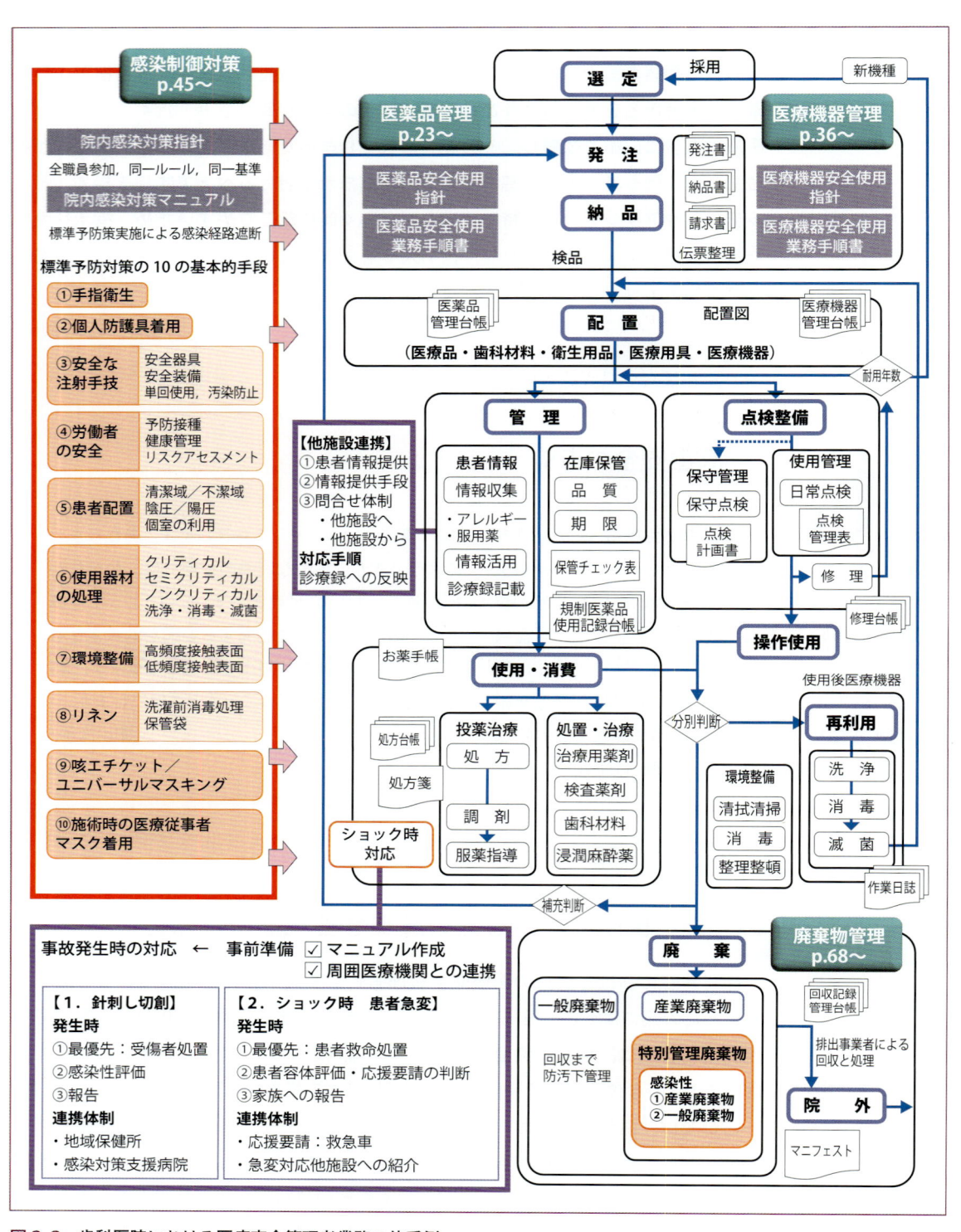

図 2-2 歯科医院における医療安全管理者業務の体系例

CHAPTER 2 安全管理責任者としての業務を理解しよう

❶ 医薬品安全管理に関するマニュアル（業務手順書）等の作成

歯科医院における医薬品安全管理は，管理する範囲が広範なので全体像（図2-3）の把握が大切です．そこで，従事者〔勤務者（以下，従事者）〕が理解しやすい全体図および手順書を作成します．また，業務を作業ごとに括って，従事者が行う作業プロセスの運用ルールを示し，これまで口頭で行っている指示における注意点や手順を文書化して手順書にまとめます．図2-4に全体例を示します．

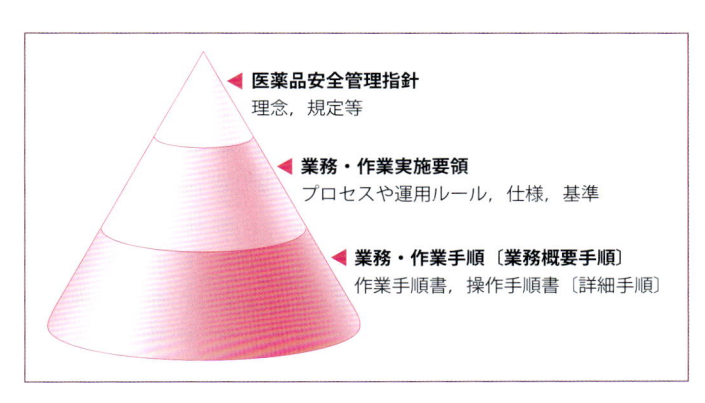

図2-3 歯科医院における医薬品安全管理の全体像
業務手順概要：業務の流れや全体のボリュームを図等で表現可．
詳細手順：後述や伝聞を含む細かいポイントを盛り込んだ実務手順書．

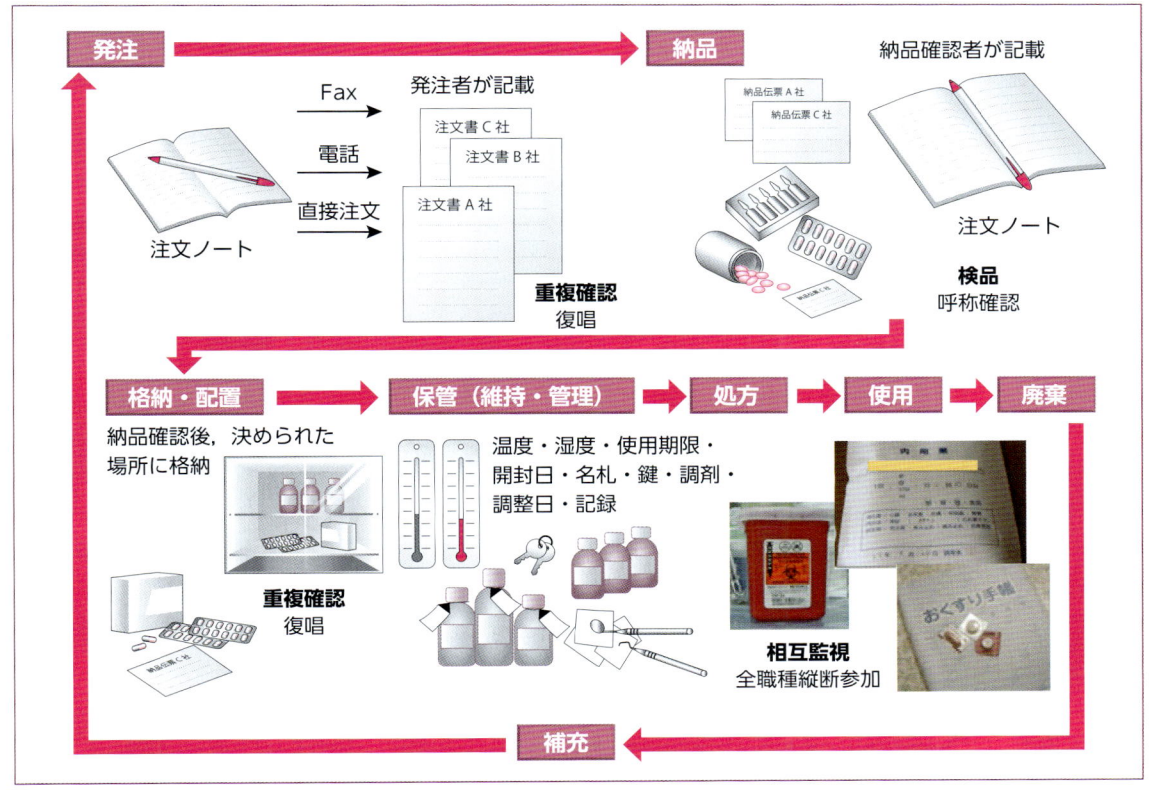

図2-4 歯科医院における医薬品安全管理の全体例
医薬品安全管理の流れ．管理手順の各プロセスを明確にし，口述伝聞を明文化する．

❷—医薬品安全管理のための研修

　医薬品安全管理責任者が対象とする歯科医院の従事者は，医薬品知識が豊富な人ばかりとは限りません．研修を通して，守るべきルールが従事者間でぶれないように「作業の意味」を共有してもらうことは重要です．そのためには，研修は計画的に実施する必要があります（図2-5）．

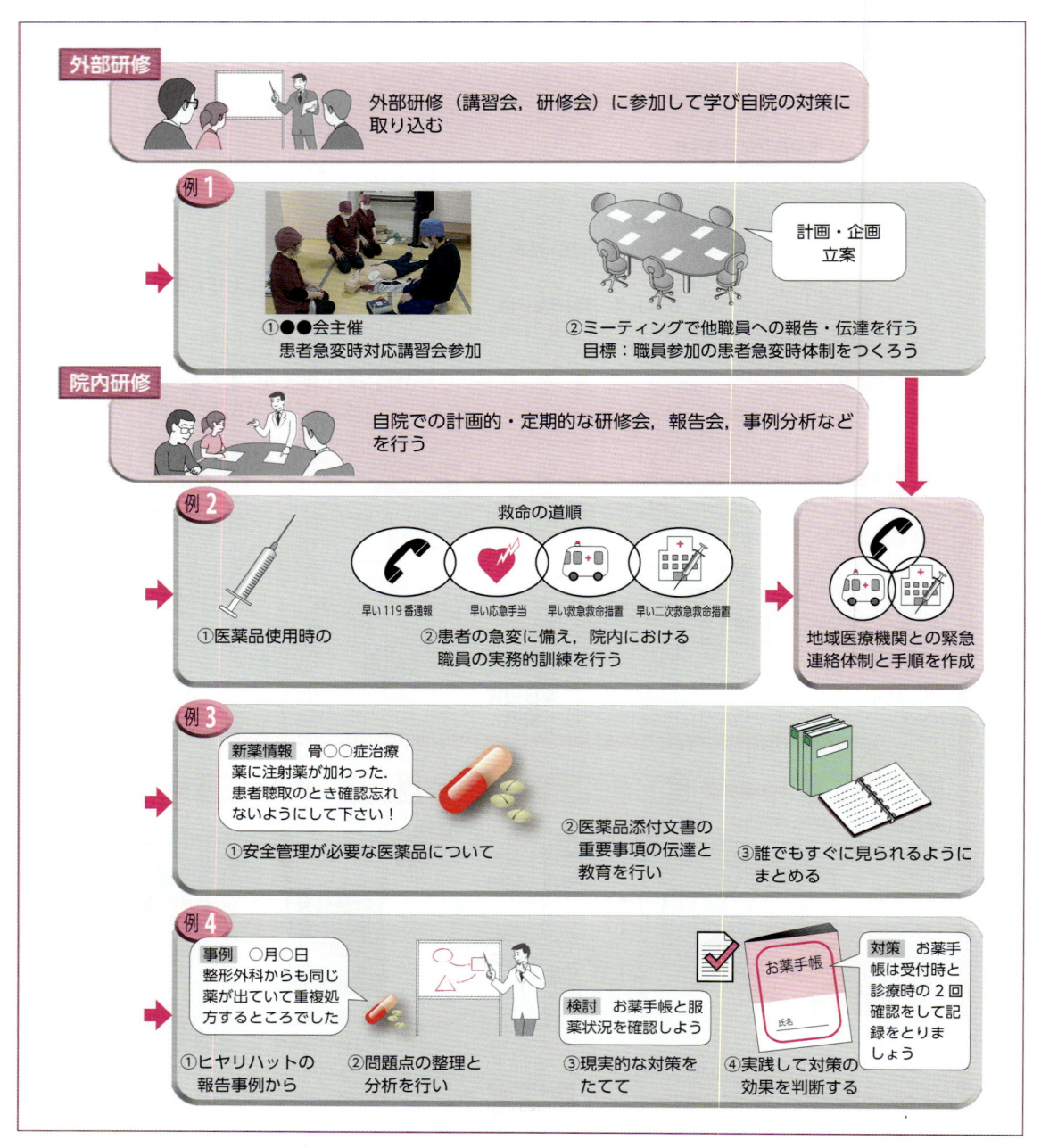

外部研修　外部研修（講習会，研修会）に参加して学び自院の対策に取り込む

例1
① ●●会主催　患者急変時対応講習会参加
② ミーティングで他職員への報告・伝達を行う　目標：職員参加の患者急変時体制をつくろう
計画・企画立案

院内研修　自院での計画的・定期的な研修会，報告会，事例分析などを行う

例2
① 医薬品使用時の
救命の道順　早い119番通報　早い応急手当　早い救急救命措置　早い二次救急救命措置
② 患者の急変に備え，院内における職員の実務的訓練を行う
地域医療機関との緊急連絡体制と手順を作成

例3
新薬情報　骨○○症治療薬に注射薬が加わった．患者聴取のとき確認忘れないようにして下さい！
① 安全管理が必要な医薬品について
② 医薬品添付文書の重要事項の伝達と教育を行い
③ 誰でもすぐに見られるようにまとめる

例4
事例　○月○日　整形外科からも同じ薬が出ていて重複処方するところでした
検討　お薬手帳と服薬状況を確認しよう
対策　お薬手帳は受付時と診療時の2回確認をして記録をとりましょう
① ヒヤリハットの報告事例から
② 問題点の整理と分析を行い
③ 現実的な対策をたてて
④ 実践して対策の効果を判断する

図 2-5　歯科医院における医薬品安全管理に関する研修例
医薬品安全管理にかかる業務プロセスや業務ルール，作業の手順や操作の手順，自院の実態にあわせて明文化する．

CHAPTER 2 安全管理責任者としての業務を理解しよう

❸―医薬品安全管理業務の事前準備

医薬品安全管理責任者は，従事者とともに医薬品の安全使用や維持・保管に努める一方で，歯科医院内の医薬品の在庫状況を医薬品管理簿から把握し，格納場所に見合った格納量を調整して管理を行います（図2-6）．

❶ 医薬品管理簿を作る

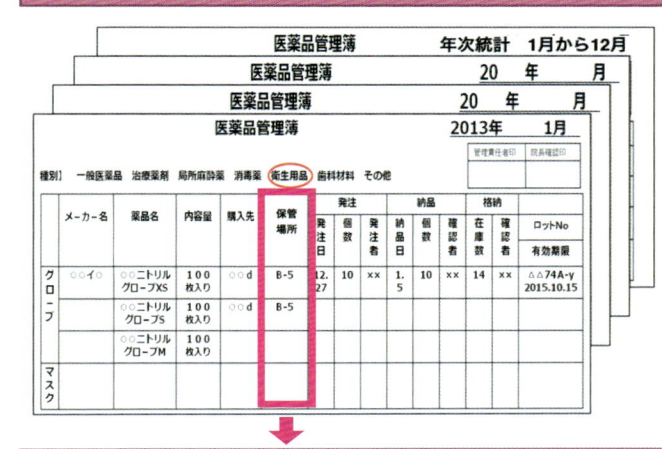

1．配備している医薬品・薬剤・歯科材料の全品を対象とする
2．発注書と納品伝票は元帳として月毎に綴じる
3．元帳から医薬品管理簿(台帳)作成する
　◇業務の補助に薬品集(品名と写真)を作成する
4．医薬品管理責任者は元帳と医薬品管理簿を管理
5．注文ノートなどの業務記録と突合して点検する
6．年2回程度の棚卸を行う→適正在庫量の基準作り
7．医薬品管理簿から年次統計をとって業務の適正を確認する

❷ 医薬品管理の「見える化」作業

●配置・格納の場所を明確にする

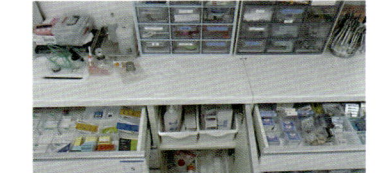

●配置・格納のルールを明確にする
▲例）右：切削器具，左：根管治療薬，中：補綴材料
◀例）受付バックヤードに処方医薬品

●温度・湿度・清潔を適切に保つ

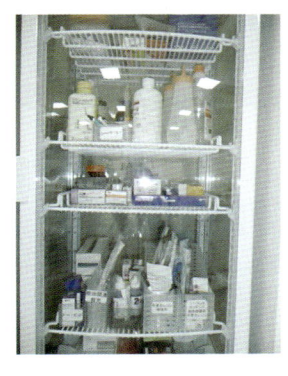

●見やすく探しやすく取り出しやすく配備

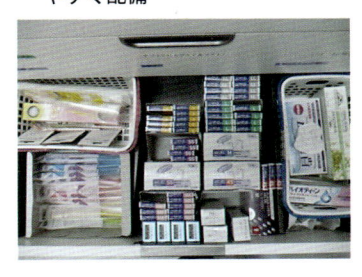

●開封日を記載する

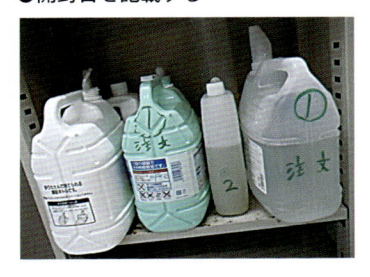

●配置・格納場所ごとに写真に記録し，採択したルールを添えて一覧シートを作成する

○シートは2部作成
◇点検用1部，配置・格納場所に配備
◇手順書1部　注意・手順を明文化

図2-6　歯科医院における医薬品管理の事前準備例

❹―医薬品安全管理体制の改善

　医薬品の取り間違い，規格間違い，充填ミス，期限切れ，手配ミス，投与ミス，調剤ミス，伝達事項の伝えミスなどの医薬品安全管理における間違いなどを防ぐため，確認方法や疑義照会などの改善を常に図る必要があります（図2-7）．なお，

類似瓶（褐色）	異種材料のパッケージの酷似	情報記載が小さい
↓	↓	↓
開口部色別，分散配置，一部薬剤変更	一方の配備廃止，変更	マジック書入，色分け
薬瓶・ラベル・配色酷似	処方設計ミス・薬袋分包ミス	他科処方薬との混乱
↓	↓	↓
一方の配備廃止，変更	ダブルチェック，指差呼称	薬歴管理・服薬指導
誤服用	調剤ミス	即時判別・見やすいパッケージ
「薬が大きくて飲み込めない」包装シートごと服用しようとした	消毒用アルコールと無水エタノールの間違い	
↓	↓	↓
剤形・剤状見本作成，実物を患者と確認，常用薬の類似薬有無，服薬内容の指導	ダブルチェック，指差呼称，分散配置	上面（開封口）・側面の色分け　作業者の習慣に合った包装

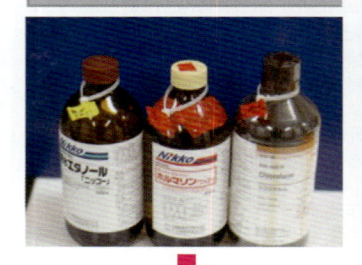

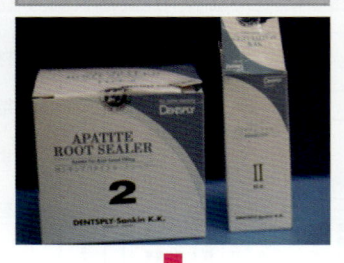

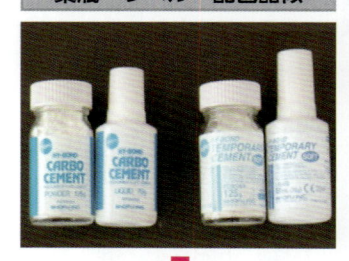

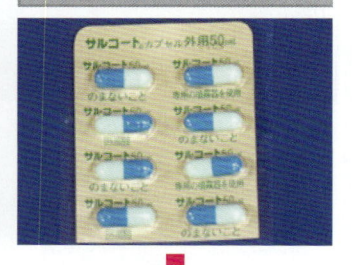

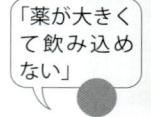

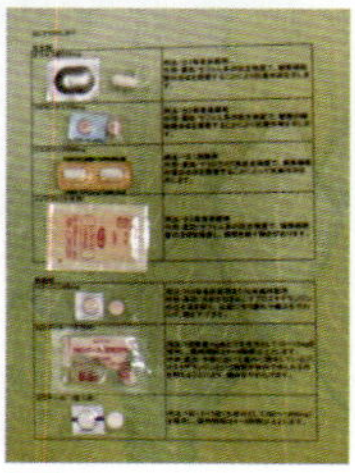

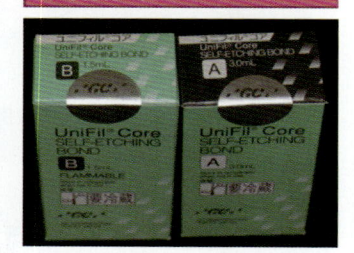

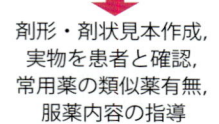

図2-7　歯科医院における医薬品管理に関する改善策例
「医薬品事故がなくなることはない」ものと考え，リスク（危険や危機）の管理をし，対策を講じて制御していく．①6R（正しい患者，正しい時間，正しい薬剤，正しい量，正しい方法，正しい記録），②3度の確認，③ダブルチェック（相互確認），④指差呼称，⑤疑義照会を行う

ミスが起こった場合は，直ちに院長に報告して対策を講じます．

（五十嵐博恵）

4　病院における医薬品安全管理の補佐

　歯科病院や病院歯科においては，医療安全管理責任者は実際には薬剤師であることが多く，歯科衛生士は部門での医薬品安全管理推進者として医薬品安全管理責任者を補佐することが主な役割となるでしょう．ここでは参考として筆者の勤務した歯科病院における主な役割の例を紹介します．なお，補佐にあたっては歯科衛生士の業務範囲を考え，必ず医師，歯科医師，薬剤師の指示のもとに行ってください．

（1）担当部署に定数配置する医薬品の品目，保管数量の協議，定期点検
（2）担当部署における医薬品の取り間違え防止のための保管場所や，注意喚起の表示方法の協議
（3）救急カート内の医薬品の定期点検および補充
（4）部門や部署における医薬品安全業務手順書の作成を補佐，定期的な見直し
（5）部門や部署における医薬品情報の周知
（6）研修会の企画に参加および部門や部署における研修（OJT：on-the-job training）を実施

（淀川尚子）

COLUMN 4　リスク感性を養う

　危険を感じる感性を"リスク感性"という言葉で表す場合があります．組織を構成する個々人のリスク感性によって，組織の医療安全体制のレベルが左右されることになります．リスク感性は，①リスク感覚：危ないと感じるが行動に現れない，②リスク認識：危ないと感じ注意行動に現れる，③リスク意識：危ないと感じ危険回避行動をとるというプロセスで身につくといわれています．危険を察知し，回避行動ができる能力を高めるために有効な**KYT**（危険予知トレーニング；危険の「K」，予知の「Y」，トレーニングの「T」）等の訓練を行うとよいでしょう．また，業務への慣れや職場環境が感性のマヒ（薄れ）につながらないように，リスク感性が発揮しやすい職場の安全風土を構築しておくことも重要です．

（淀川尚子）

Ⅱ 医療機器の安全管理

1 医療安全管理者としての業務の基本

　歯科衛生士は，医薬品の安全管理と同様，歯科医院で**医療機器安全管理責任者**を担うことができる職種です．なお，歯科医院では院長も兼務することができ，病院では歯科衛生士は補佐役を担うことが多いのが実情です．

　医療機器は，操作が複雑なものが多いために，誤って操作すると患者や医療従事者自身に危険が及ぶ可能性があります．医療機器安全管理責任者は，院長の指示のもと図2-8の業務を行います．

❶ 医療従事者に対する医療機器安全使用のための研修実施

　医療機器安全管理責任者は，すべての医療従事者が医療機器の使用方法や特性などについて十分な知識をもったうえで安全に操作できるよう，院内での教育システムを構築します．研修の対象者は，医療機器を操作・管理する有資格者で，施設で保有するすべての医療機器が研修の対象となります．既に使用している医療機器であっても定期的に研修を行い，安全確保に努めることが義務づけられています．新規に導入された医療機器については，機器を適切に使用するための知識・技術の習得と，職員間の技術格差を解消し，誰もが医療機器を安全に使用できるように研修を実施しなければなりません．たとえ，新しく入職した職員が，前の職場で同様の研修を受けていても，機種が異なる場合には研修を受けなければなりません．研修の主な内容は以下のとおりです．

（1）医療機器の有効性・安全性に関する事項
（2）医療機器の使用方法に関する事項
（3）医療機器の保守点検に関する事項
（4）医療機器の不具合が発生した場合の対応（施設内での報告，行政機関への

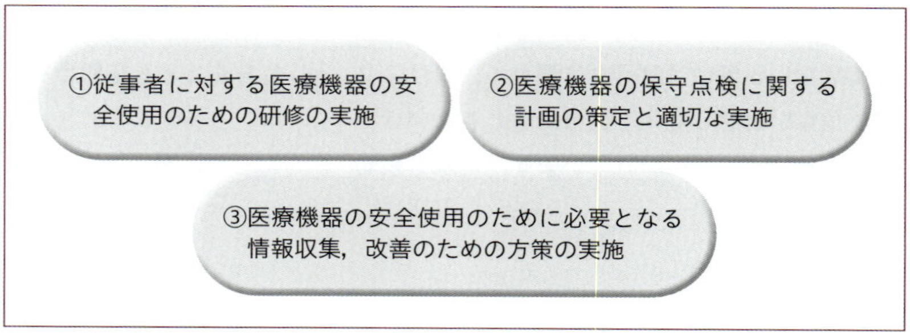

①従事者に対する医療機器の安全使用のための研修の実施
②医療機器の保守点検に関する計画の策定と適切な実施
③医療機器の安全使用のために必要となる情報収集，改善のための方策の実施

図2-8　医療機器安全管理責任者の業務

報告等）に関する事項
　（5）医療機器の使用に関して特に法令上遵守すべき事項
　なお，研修を実施した際には，開催日（受講日），出席者（フルネーム），研修項目，対象とした医療機器の名称，研修実施場所等を記録した研修実施報告書を作成・保管しなければなりません．また，研修はすべての医療従事者が対象となるため，未受講者がいた場合，再講習などの対応も必要です．

❷─医療機器の保守点検に関する計画の策定と適切な実施

1）保守点検の計画策定と管理台帳の管理

　保守点検は，院長の指示のもと医療機器の機種ごとに設定された点検時期に沿って計画を立てます．保守点検にあたっては，各医療機器の添付文書に記載されている注意事項を確認し，不明な点があれば製造販売業者に確認をします．

　医療機器の保守点検を効率的に実施するために，院内で保有しているすべての医療機器を一括した「**医療機器管理台帳**」を作成して，保守点検の実施状況を把握しておきましょう．医療機器管理台帳には，個々の医療機器に対して，医療機器名，製造販売業者名，型式，型番，購入年月，使用期限，廃棄予定年月等の情報に加え記載するとともに，保守点検の実施日と保守点検者名，使用状況，修理状況についても記録します．

　医療機器安全管理責任者は，保守点検の実施状況を把握するだけでなく，施設管理責任者に対して，医療機器の購入に関する助言を行ったり，医療機器の種類や使用頻度等に応じて保守点検計画の見直しを行います．なお，保守点検に関する業務を外部業者等に委託する場合も，法令に沿って実施状況を記録・保管する責任があります．

　なお，医薬品や医療機器の管理台帳やマニュアルは，職員全員が必要な時にすぐに確認できるように診療室内の目立つ場所に設置しておくなどの工夫が必要です．また，一度作成した文書でも，院長と協議しながら，医療従事者間で業務の実情に合わせた形で定期的に見直しを行う必要があります．

2）診療内容に適した機種の選定・購入

　医療技術の進歩に伴い，日々医療機器も高度化・複雑化しています．高度で精密な医療機器は操作が複雑な場合が多く，ヒューマンエラーを引き起こす可能性があることを留意しておく必要があります．しかしながら，操作する医療従事者に対して注意を喚起するだけでは，医療事故を防止することはできません．起こりうるリスクを低減するために，医療機器の買い替えや医療機器を新たに導入する際には，安全装置が備わった機器を選定することが大切です．

　また，1つの診療室で同じ用途の医療機器について複数配置すると，医療従事者は機種ごとに異なる操作方法を熟知しなければならなくなります．そうなると，思

い込みや勘違いによる誤った操作を招く可能性が高くなります．そのため，導入する機器は用途別に機種を統一するとよいでしょう．

医療機器の選定には，使用する医療従事者が求める性能や好み，購入価格や消耗品等のランニングコストといった経済性などの要因が関わってきます．しかしながら，可能な限り医療の質が担保された医療機器の選択が必要となります．機器購入の最終決定は院長が行うことになりますが，安全管理責任者は，医療機器購入に関わるさまざまな要因を考慮しつつ，常に患者や医療従事者の安全確保を最優先に医療機器の安全使用に関する情報を収集したうえで，院長へ助言する役割を担っています．

3）使用環境の整備

医療機器安全管理責任者は，以下の観点から医療機器の管理場所や管理方法などについて，診療室内を巡視して問題点を抽出し，改善策を検討します．

（1）医療機器の使用場所には十分なスペースが確保されているか．
（2）使用する部品や消耗品が不足なく整備されているか．
（3）振動に弱い機器や，配線が複雑な機器などは，適切な場所で使用されているか．
（4）生体モニターなど緊急性の高い医療機器は，ただちに使用できる場所で保管されているか．

❸ 医療機器の安全使用のために必要となる情報収集，改善のための方策の実施

医療機器安全管理責任者は，院内で収集したインシデントレポートや医療機器の添付文書から，医療機器の安全使用に関する情報収集を行います．収集した情報は，院長の指示のもとに，医療従事者に周知します．また，医療機器に不具合が生じた場合には，速やかに製造販売業者や行政にも報告する必要があります．

1）添付文書・取扱説明書の管理

添付文書は，医療機器の適用を受ける患者および使用者の安全を確保し適正な使用を図るために，医療従事者に対して適切な取り扱い方法や，使用上のリスクや注意事項などの必要な情報を提供することを目的としたものです．また，添付文書だけでは十分な情報が提供できない医療機器については，「取扱説明書（保守点検マニュアルを含む）」が添付されています．医療従事者には，添付文書等に記載された事項を遵守したうえで医療機器を使用する義務があります．添付文書と取扱説明書は，1つのファイルにまとめ，必要時にすぐに取り出せるように保管しておきましょう．

2）医療機器に係る安全情報の収集・提供

厚生労働省では，購入後の医療機器の安全対策の一環として，医療機器を扱う製

造販売業者に対して自主点検や添付文書改訂に関する指示を出しており，改訂された内容は医療機関へ通知として情報提供を行うように促しています．通知は，都道府県や各職能団体を通じて医療機関に周知されるほか，独立行政法人医薬品医療機器総合機構（PMDA）のホームページ（p.36，コラム⑤参照）にも掲載されています．医療安全管理責任者は，院内で使用している医療機器の不具合情報（最新の回収・改修情報）等を定期的に確認して情報収集に努め，必要に応じてマニュアルや**保守管理計画**を見直し，医療従事者に対して情報提供を行います．

　日常的に使用する医療機器の種類や台数が多くなると，管理も煩雑になるため，最新情報を収集する業務を日常業務に組み込み，診療室の安全管理体制に反映させます．

　医療機器安全管理責任者は，管理している医療機器に不具合や健康被害が生じた場合には，速やかに院長に報告をします．また，医薬品医療機器等法では，以下の点が医療従事者に対して義務づけられています．

医薬品医療機器等法

第68条の2第2項　　製造販売業者等が行う医療機器の安全な使用のために必要な情報収集に対して病院等が協力するように努めること．
第68条の10第2項　病院もしくは診療所の開設者又は医療従事者は，医療機器について副作用等の発生を知り，それが保健衛生上の危害の発生又は拡大を阻止するために必要があると認めるときは，厚生労働大臣に対して直接副作用を報告すること．

❹ 故障時の対応

　医療機器の故障を常に予測することは困難です．特に使用中に故障が発生した場合には，緊急の対応が必要となります．不測の事態に備えて，迅速かつ的確に対応できるよう，医療機器ごとに製造販売業者や修理対応業者の連絡先のリストを作成し，情報共有しておきましょう．

2　医療機器のリスクマネジメントの基本

　医療機器の**リスクマネジメント**の基本は，インシデント・アクシデントを未然に防ぐための対応を検討するだけでなく，インシデント・アクシデントが発生した場合の対応も視野に入れることです．医療機器が不具合を起こす原因は，さまざまなものが考えられます（表2-1）．対応策を講じることによって未然に防げるものも多いため，日常に潜むリスクを分析し，管理計画に反映させます．

3 定期的な保守点検と記録の重要性

　点検が必要となる医療機器の例を表 2-2 に列挙します．日常的に使用しており問題ないからとチェックを怠り，診療が始まってから不具合がみつかると，治療が中断されるばかりか，誤作動などによって患者に危険が及ぶ可能性があります．「これまで問題なく使用できていても，いつか何か起こるかもしれない」と感じるリスク感性をもつことが大切です．

❶――日常点検

1）始業時点検

　診療開始前の準備の際に，毎日実施します．機器の基本性能や安全確保のために行うもので，外観点検と作動点検があります．

　①外観点検：機器本体やコード類などの外観の破損や凹凸の確認，コード類の接続状況を目視や触知で確認します．

　②作動点検：各種安全装置や警報装置が作動するかどうかの確認や，正常に機器が作動するかどうか状況の確認を行います．

　　例：スイッチ類の動作を確認，コード等の付属品の接続状況，電源コンセントやアースの確認，ハンドピースの回転・注水の確認等

2）使用中点検

　医療機器の使用中に作動状況を確認する点検で，機器の警報等の設定や動作設定の確認を行います．機器の種類や性能によって点検項目は異なるため，添付文書を確認し点検項目を設定します．

表 2-1　医療機器が不具合を起こす原因の例

【ハード面での問題】	【ソフト面での問題】
・品質不良 ・使用期間や耐用年数の超過 ・破損・故障 ・機能の高度化・複雑化	・取り扱いについての技術・知識の不足 ・使用・保管環境の未整備 ・情報共有の不足 ・適用外使用または禁忌・禁止行為 ・保守点検の不足や未実施 ・患者の病態

表 2-2　点検が必要な医療機器の例

・歯科用ユニット ・超音波スケーラー ・根管長測定装置 ・寒天用コンディショナー ・タービン，マイクロモーター等　各種ハンドピース ・光照射器 ・滅菌器	・セントラルバキューム ・エックス線撮影装置 ・電気メス ・エアーコンプレッサー ・歯科用レーザー機器 ・印象材自動練和器

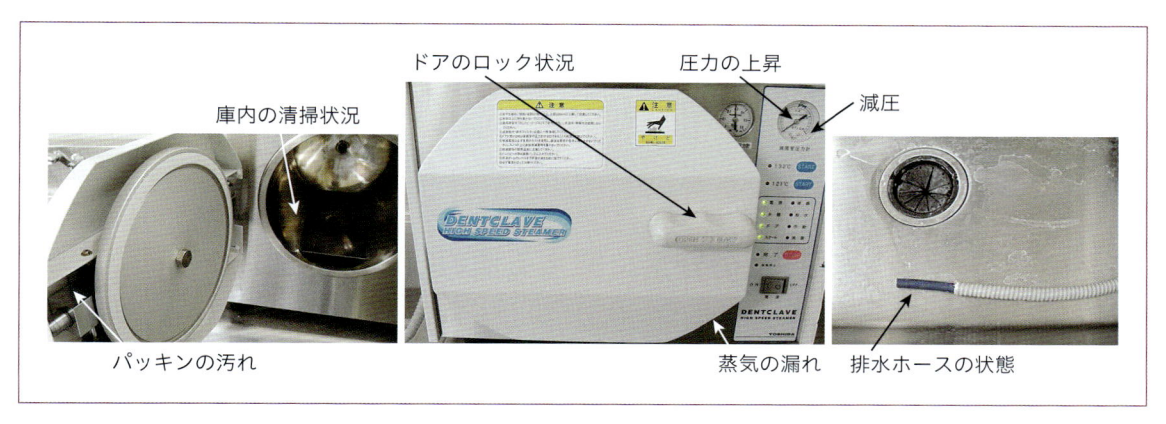

図 2-9　オートクレーブ滅菌器のチェックポイント
使用開始前および月 1 回点検を行う．

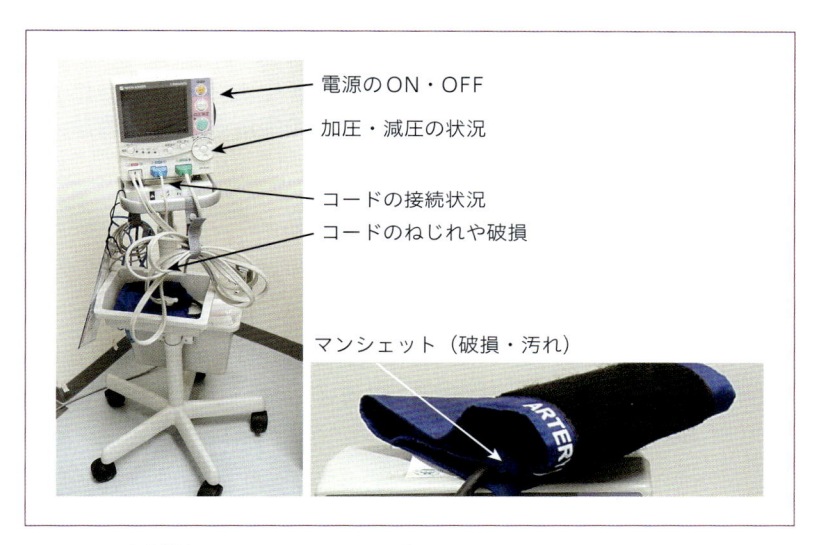

図 2-10　生体情報モニターのチェックポイント
使用開始前および月 1 回点検を行う．

3）終業時点検

　診療終了後に，安全性や性能等に関して問題がなかったかを確認する点検で，外観，作動状況を踏まえて，完全に診療を実施できたかの確認を行います．

4）点検表の整備と実施

　点検項目について，医療従事者全員が同じ基準で評価できるような仕組みづくりが大切です（図 2-9，10）．歯科用ユニットなど毎日必ず使用する医療機器は，共通のチェック項目を設定して点検を行います．

❷—定期点検

　定期点検は，日常点検とは異なり，次回の点検時までの性能維持を担保するため

に，より詳細な点検や消耗品の交換等を行います．機器ごとに定期点検の実施頻度，項目を決定します．

（小原由紀）

COLUMN 5　医療機器の安全に関する情報収集の方法

独立行政法人医薬品医療機器総合機構（PMDA）は，医薬品の副作用や生物由来製品を介した感染等による健康被害に対して，迅速な救済を図り（健康被害救済），医薬品や医療機器，再生医療等製品などの品質，有効性及び安全性について，治験前から承認までを一貫した体制で指導・審査し（承認審査），市販後における安全性に関する情報の収集，分析，提供を行っています（安全対策）．PMDAのホームページ（URL：https://www.pmda.go.jp/index.html）で医療機器の添付文書の検索や安全性情報や回収情報などを入手できるため，定期的にチェックする習慣を身につけておくとよいでしょう．

独立行政法人医薬品医療機器総合機構（PMDA）のウェブサイト

（小原由紀）

4　歯科医院における医療機器安全管理業務の例

　歯科医院における医療機器安全管理責任者の実際の業務例を示します．病院では，材料部の専任者の業務に相当するものですが，歯科医院では特に以下の点に留意します．
（1）歯科医院においても医療機器の保守点検は主体的に実施する．
（2）特定保守管理医療機器（保守点検を規定されている医療機器）を中心に，機器の維持管理を行う．医療機器類は使用頻度が多く長期使用による摩耗や劣化が進み，故障に至らなくても性能や信頼度は落ちていくものである．
（3）歯科医院における医療機器の保守点検業務は，歯科衛生士が学んだうえで行うことが可能．
（4）特定保守管理医療機器の修理については，業務委託基準に適合した修理業者に依頼する．

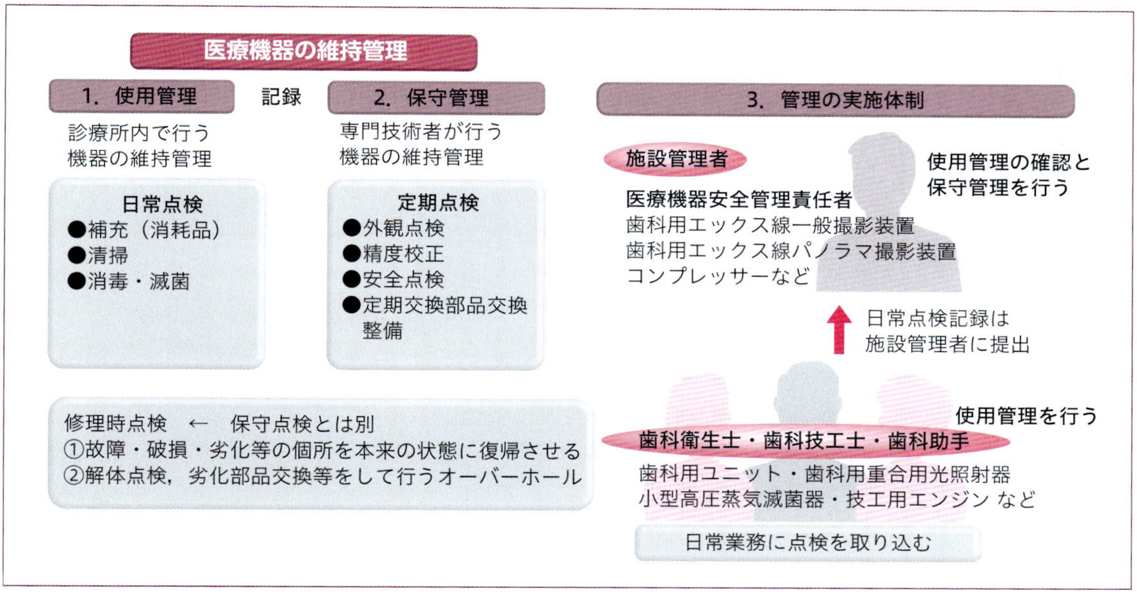

図 2-11　歯科医院における医療機器安全管理業務に関するマニュアルの作成例

医療機器管理台帳

管理責任者印	院長確認印

用途別分類	機器名	形式	製造番号	メーカー	購入年月日	購入価格	納入業者
滅菌消毒用機器	高圧蒸気滅菌器	○○-○	△△-y	○○○○	平成○○	---- 円	○○○○
	○○ガス滅菌器						

1. 施設内の全ての医療機器を閲覧できるように作成
2. 保守点検計画書作成時の際の基データとなる
3. 購入年月日データから耐用年数経過状況を把握可能

医療機器故障・修理台帳

管理責任者印	院長確認印

機器名	形式	製造番号	メーカー	修理年月日	故障・修理内容	購入価格	修理業者
高圧蒸気滅菌器	○○-○	△△-y	○○○○	平成○○		---- 円	○○○○

1. 機器類の故障履歴が一覧可能となる
2. 故障履歴より故障修理回数と修理費用を算出し，機器類更新計画の判断材料としていく
3. 故障修理内容から，メーカー保守契約について検討する材料となる

図 2-12　歯科医院における医療機器管理の実施例
医療機器管理台帳と医療機器故障・修理台帳の作成

❶—医療機器安全管理に関するマニュアル（業務手順書）の作成

医療機器自体の状態に関しては，メーカーの専門の技術者や修理業者に保守管理として定期的な点検依頼をします．また，機器使用に関しては，従事者が使用管理として日常の整備の際に点検を取り込むことが大切で，そのための整備点検作業の内容や手順をマニュアル化したものを作成します（図 2-11）．

❷—医療機器安全管理業務の実施

医療機器安全管理者は，従事者とともに機器の点検管理を行う一方，院内に配備・配置している医療機器については医療機器管理台帳を作成し，耐用年数に関す

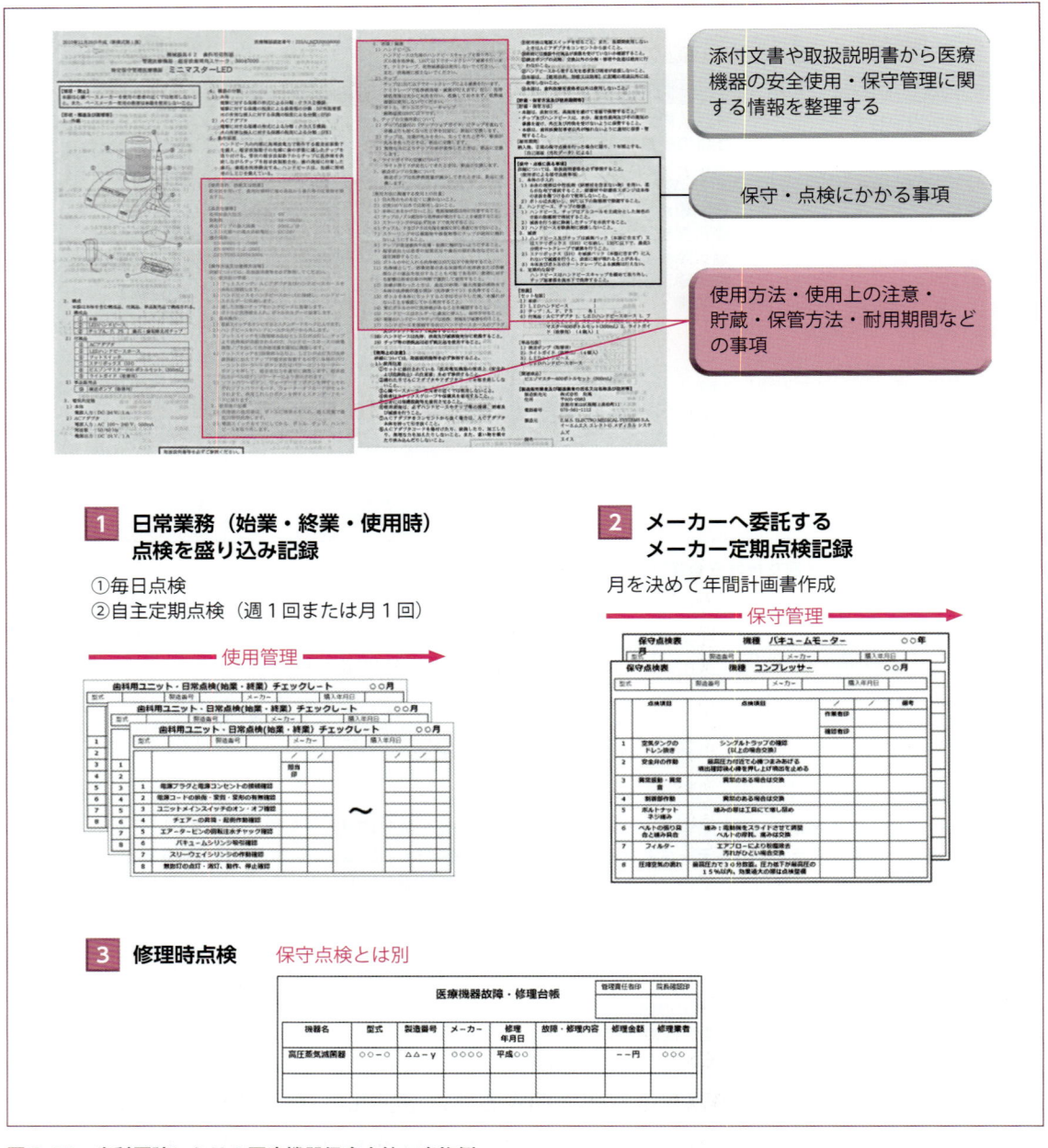

図 2-13 歯科医院における医療機器保守点検の実施例
添付文書や取扱説明書の保管，点検項目と整備点，点検計画書の作成

　る経過状況を判断します．また，故障・修理に関しては，医療機器故障・修理台帳を作成し，履歴の一覧を記録するようにし，交換の目安にしていきます（図 2-12）．
　医療機器の点検時の整備点検項目は，添付文書や取扱説明書の「医療機器の保守・点検にかかる事項」や「使用方法，使用上の注意・貯蔵・保管方法・耐用期間」の記載から項目立てをし，整備作業時の作業留意点（注意事項，禁止事項，判

断基準）を加えて下部手順書にまとめます．添付文書や取扱説明書は，元帳として綴じて一括保管し，従事者がいつでも誰でも確認できる場所に保管します．また，保守点検については，点検計画書を作成して定期的な管理を行います（**図 2-13**）．整備漏れ，点検漏れや点検ミス，報告漏れなど，人的ミスは事故に直結します．AED（自動体外式除細動器）やパルスオキシメーターのバッテリーは定期点検から漏れないようにし，バッテリー切れに注意します．

❸―医療機器安全管理のための研修

研修は，全従事者が医療機器の安全な状態を理解し，不具合や不整備，異常を見つけられるようなテーマに重点をおき安全使用とはどういう状態かを共有して，従事者が行う整備点検業務の効率化を図ります．

（五十嵐博恵）

Ⅲ 院内感染対策

1 院内感染対策責任者としての業務の基本

本来，すべての医療機関は常に患者や医療従事者の安全を考慮して，必要な対策を講じなくてはなりません．医療安全に関しては，「医療法」をはじめ，「医師法」，「歯科衛生士法」，「保健師助産師看護師法」，「労働安全衛生法」，「感染症の予防及び感染症の患者に対する医療に関する法律〈感染症法〉」，「廃棄物の処理及び清掃に関する法律〈廃棄物処理法〉」など，医療に直接的，間接的に関係する法律は少なくありません．医療機関はこれらの法の遵守のもとに，医療を遂行する必要があります．しかし，その考え方としては「法で義務化されているから実施する」というのは根本的に間違っています．法はむしろ「最低限ここまでは行うべきである事項」と解釈すべきです．

医療法で，無床診療所や歯科医院を含むすべての医療機関に院内感染対策について指針等の作成とその実施が義務づけられています．

医療機関の管理者は，この対策を講じる必要があり，それぞれ，院内感染対策のための指針の策定，委員会，責任者の配置，研修の実施，諸記録の整備をしなくてはなりません．なお，法的には無床診療所・歯科医院と病院・有床診療所の義務化される内容が異なります．病院・有床診療所では，院内感染対策のための委員会を開催（月1回程度）して安全管理対策を講じ，従事者への周知を図ることが規定されていますが，無床診療所・歯科医院ではこの委員会の設置については義務づけられてはいませんが，責任者を置くこととされています．

歯科衛生士が院内感染対策の責任者になることに法的制限はありませんので，歯科衛生士は医療法施行規則に規定する医薬品および医療機器の安全使用のための責任者の資格を有していることからも，歯科医院ではこれを歯科衛生士が務める場合があります．

この**院内感染対策責任者**の一般的な業務は，**図 2-14** のとおりです．

COLUMN 6　医療関連感染

2004 年，CDC（アメリカ疾病予防管理センター）は『隔離予防策のガイドライン：医療現場における感染病原体の伝播防止（草案）』において，病院感染という用語をやめて，医療関連感染（healthcare-associated infection：HAI）という用語を提唱しました．そして，最近では院内感染（nosocomial infection），病院感染（hospital infection または hospital acquired infection）という用語は，世界的には居宅での感染を含めて「医療関連感染」といわれるようになっています．

（五十嵐博恵）

①感染症の脅威や感染のリスクは，医療提供の拡大（医療機関から在宅まで）に伴い拡大している

②感染症の脅威や感染リスクは，市中に散在し，あらゆるところに潜む

③知らない間に感染を受け，知らない間に感染拡大が起きる

---

❶──院内感染対策に関する環境整備および感染対策の指針の検討と提言

病院では，院内感染対策委員会の議を経て，院内感染対策のための指針を文書化し，従事者に徹底させます．ただし，歯科医院の場合は委員会の議を経ることを要しませんので，院長または院長から権限を委譲された責任者がこれを行います．

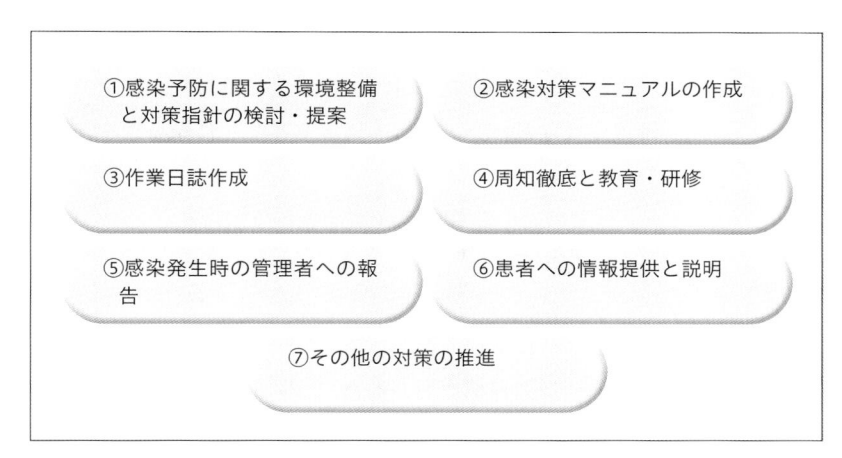

```
┌─────────────────────────────────────────────────────────┐
│  ①感染予防に関する環境整備        ②感染対策マニュアルの作成  │
│   と対策指針の検討・提案                                   │
│                                                         │
│  ③作業日誌作成                  ④周知徹底と教育・研修      │
│                                                         │
│  ⑤感染発生時の管理者への報       ⑥患者への情報提供と説明    │
│   告                                                     │
│                                                         │
│              ⑦その他の対策の推進                          │
└─────────────────────────────────────────────────────────┘
```

図 2-14　院内感染対策責任者の業務

指針の主な内容は以下のとおりです．
(1) 院内感染対策に関する基本的考え方
　　①院内感染対策のためのマニュアルの作成
　　②作業日誌の作成
(2) 院内感染対策のための委員会等の組織に関する基本的事項（病院・有床診療所の場合）
(3) 院内感染対策のための従事者に対する研修に関する基本方針
(4) 感染症の発生状況の報告に関する基本方針
(5) 院内感染発生時の対応に関する基本方針
(6) 患者等への情報提供と説明に関する基本方針
(7) その他の院内感染対策の推進のために必要な基本方針

❷ 院内感染対策マニュアルの作成

　一般的に歯科では，滅菌消毒業務の専従者（滅菌技士など）を雇用している事例は少ないので，勤務する歯科衛生士の誰が行っても器材管理の質が保証されるよう，標準を具体的に記載したマニュアルを整備するとよいでしょう．また，このマニュアルは，定期的に見直すようにします．この作成も院内感染対策責任者の業務です．
　このマニュアルで踏まえるべき主なポイントは，以下のとおりです．
(1) 通常の診療における洗浄，消毒，滅菌に関する内容
(2) 診療前後の作業手順
(3) 針刺し事故等防止法
(4) 針刺し事故等が起こったときの対処法

❸──作業日誌作成

　日常の感染対策業務は，医療安全に不可欠な業務です．したがって，院内感染対策責任者は各作業の内容を確認するため**作業日誌**を作成し，適切に保管する必要があります．

1）作業日誌の記載項目（滅菌を行う場合）

　①作業年月日
　②使用滅菌器
　③滅菌開始時刻
　④器具・器材の品目と数量
　⑤作業担当者名

　大型の滅菌器には記録機能がありますが，小型・卓上型では付与されていない機種もあり稼働ごとに確認が必要です（外付けのプリンターを装着できる機種もある）．

2）滅菌器管理上の記載事項

　①稼働性能適格性確認（PQ：Performance Qualification）

　操作手順どおりに設置された滅菌器を作動させた場合に，あらかじめ決められた範囲の滅菌工程が遂行され滅菌物の滅菌保障レベルが達成されていることを確認し記録します．

COLUMN 7　"咳エチケット"から"ユニバーサルマスキング"へ

　新型コロナウイルス〈COVID-19〉の流行によって，マスクの使用目的が大きく変化しました．2022〜2023年に世界に拡散した重症急性呼吸症候群〈SARS〉に対して，「咳エチケット」が始まりました．これは，咳などの呼吸器症状のある人が集まる医療機関に立ち入る時には咳やくしゃみをマスクやティッシュなどで覆うというものです．

　けれども，COVID-19は無症状であっても感染性を示すため，咳エチケットでは流行を防ぐことはできません．そのため，「発症前に感染性のピークがある」という事実と，「マスクは会話などで発生する飛沫の拡散を減少させる」という事実から，おそらく新型コロナに対して予防効果があるだろうと考え出された推奨です．

　自分が感染者であった場合，周囲の人々にウイルスを曝露させないことを目的として，公衆公共あるいは医療機関では症状の有無にかかわらずすべての人が常時マスクをする感染予防策を「ユニバーサルマスキング」とよび，今や世界基準となってきています．

（参考）
1）矢野邦夫：INFECTION CONTROL.2020 Vol.29.no.9 p862 Christopher Chao et all：Characterization of expiration air jets and droplet size distributions immedeiately at the mouth opening, Journal of Aerosol Science Volume 40, Issue 2, February 2009, Pages 122-123）
2）日本災害看護協会ホームページ

（五十嵐博恵）

②物理的インジケータ（PI：Physical Indicator）

　滅菌器のチャンバー内部の温度，圧力，および持続時間などの物理的パラメーターを用いて計測し記録を保存する方法です．

③化学的インジケータ（CI：Chemical Indicator）

　一定の物理的条件下で化学反応により変色する化学物質を用いた方法です．テープ，ラベル，カードなどさまざまな形態があります．インプラントなど外科器材のなかには，感染管理上滅菌保障としても毎回封入することが望ましいでしょう．

④生物学的インジケータ（BI：Biological Indicator）

　生きた微生物（細菌芽胞）を封入した容器を滅菌することにより，微生物の生死を判定します．培養を要し，結果判定には数時間を要します．BIは滅菌器内の通気性の悪い位置で滅菌条件を記録します．

3）機器保守点検作業記録

　機器ごとに日常的および定期的に行う保守点検作業について，保守点検項目，作業年月日，保守点検開始から終了時刻，保守点検結果および保守点検作業者名が記載された記録を作成し 3 年間保管します〔労働安全衛生法・ボイラー及び圧力容器安全規則〕．

❹──院内感染対策の周知徹底と従事者の教育・研修の実施

　院内感染対策のための研修は，院内感染対策のための基本的考え方と具体的方策について従事者の意識を高めるために行います．病院では，定期的に年 2 回程度，また必要に応じて開催することとされていますが，歯科医院では院外での年 2 回程度の受講および必要に応じて受講することで代用できます．なお，この研修については実施内容（開催または受講日時，出席者，研修項目等）を記録します．

❺──感染症の発生時の対応と院長への報告

　感染症が発生した場合や発生が疑われた際は，院内感染対策責任者は院長の指示のもとに発生動向監視（サーベイランス）を行うとともに，その原因の特定，感染の対象者への対応，制圧，収束を図るようにします．

　また，速やかに対策を実施し，その状況および実施内容を院長に報告しなくてはなりません．

❻──患者への情報提供と説明

　院内感染対策の指針は，患者またはその家族が閲覧できるようにしておきます．また，疾病の説明とともに，常に感染防止の基本についても説明し，理解を得たうえで協力を求めるようにします．

表 2-3 歯科用器材の感染対策分類

分類	定 義	対象器材（例）		処理方法
クリティカル	軟組織を貫通する，骨に接触する，血管またはその他の無菌組織に入る，もしくは接触する	外科用器具，削合用バー，インプラント手術器材，探針，歯周治療用スケーラー	滅菌	耐熱性：高圧蒸気滅菌 非耐熱性：過酸化水素低温ガスプラズマ滅菌，酸化エチレンガス滅菌
セミクリティカル	粘膜または損傷のある皮膚に接触するが，軟組織を貫通しない，骨に接触しない，血管中に挿入・接触もしない	歯科用ミラー，充填器，印象トレー，飲食用物品（食器）	消毒	高水準消毒：ウォッシャーディスインフェクター，高水準消毒薬（処理内容により加熱滅菌を行う）
		体温計（口腔）		中水準消毒：清拭洗浄＋薬液消毒
ノンクリティカル	損傷のない皮膚に接触する	エックス線ヘッド・コーン		低水準消毒：エタノール製剤清拭（除菌），アルキルジアミノエチルグリシン塩酸塩（界面活性剤配合の除菌洗浄剤）
	皮膚には接触しない	血圧測定用マンシェット，聴診器		
	医療機器表面	モニター，ポンプ類		清拭清掃 1日1回以上の定期清掃（界面活性剤配合の除菌洗浄剤），水拭き
	頻繁に手が触れる	ユニット，ライトアーム，スイッチ類，キャビネット		1患者ごとの清拭清掃・消毒（界面活性剤配合の除菌洗浄剤）
	ほとんど手で触れない	床，壁		定期清掃，汚染時清拭消毒（拡散防止，水拭き後）
				血液汚染：0.1％次亜塩素酸ナトリウム

❼──その他の院内感染対策の推進

院内感染対策の責任者は，院長から感染対策に関する権限を委譲されていますので，責任をもって感染対策，感染症の発生状況などの情報収集に努め，従事者と情報を共有し，院長へは重要事項を定期的に報告することにより感染を未然に予防するようにします．また，重大な院内感染が発生し，院内のみでの対応が困難な事態が発生した場合，または発生が疑われる場合などに備えて，地域の専門家に相談を行う体制を確保しておくことが望まれます．

2　院内感染対策におけるリスクマネジメントの基本

歯科診療において使用器材の滅菌・消毒は大変重要な業務であり，使用した器具はその使用目的と使用部位における感染リスクに応じて分類し，処理を確実に行わなければなりません．

多くの感染対策に関するマニュアルやガイドラインでは，明解かつ合理的であることから，E.H. Spaulding の提唱した分類に基づいて確実に処理を行う方法がとられています．診療に用いる器具器材をそれらが関与する感染リスクの程度により，**クリティカル**（極めて危険度が高い；critical items），**セミクリティカル**（危険度が高い；semi-critical items），**ノンクリティカル**（危険度が低い；non-critical items）

の3つに分類し，また消毒の水準を4つに分類しています（**表2-3**）．

（松岡恵理子，藤井一維）

3 歯科医院における院内感染対策業務の例

病院では感染症発生後，動向監視（サーベイランス）して対応を行いますが，歯科医院ではサーベイランスをとって対応することが難しいため，従事者1人ひとりの感染に対するコンプライアンスを上げて，制御して対応していくことが求められます．全従事者の予防的活動が，歯科医院における院内感染対策の基本となるといってよいでしょう（**図2-15**）．ここでは，歯科医院の院長が院内感染対策責任者となって対策をとっている例を示します．

❶──概　要

院内感染対策責任者は，院内で行われるさまざまな業務の中から危険な作業や注意すべき作業をピックアップし，必要となる正しい業務（行為の制御）を明確にします（**図2-16**）．

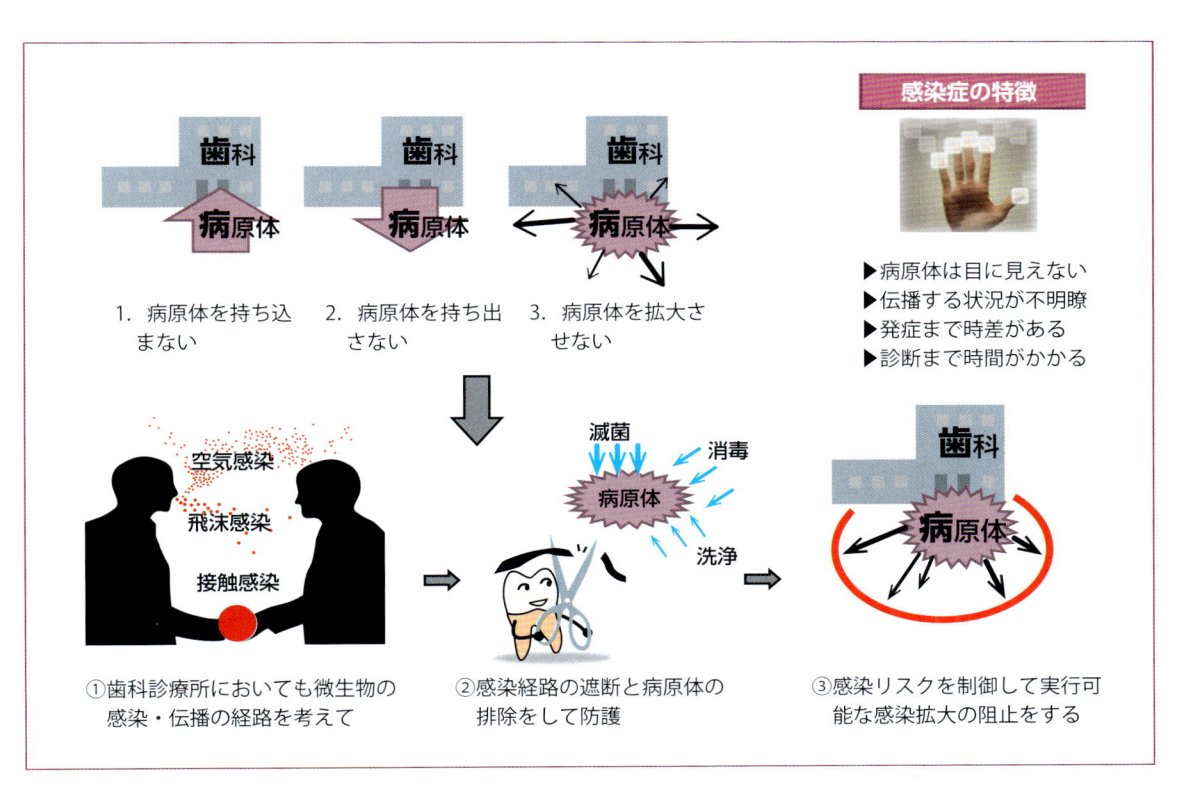

図2-15　感染予防対策の基本

図 2-16　リスクアセスメントとピックアップコントロール

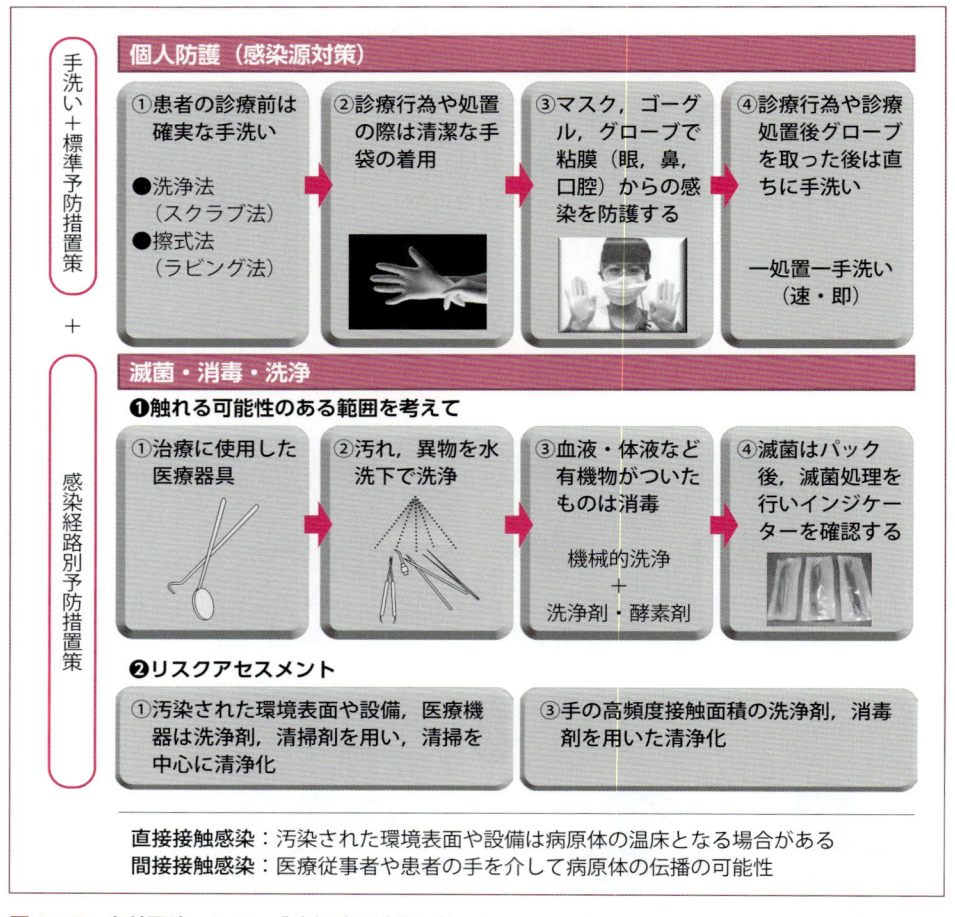

図 2-17　歯科医院における感染経路別遮断の概要例

❷──院内感染対策業務の実施

　感染リスクの洗い出しを行ったうえで，感染制御の観点から経路別遮断を中心にした大きな経路の括りが全職種を横断して理解できるように明確にします（図 2-17）．

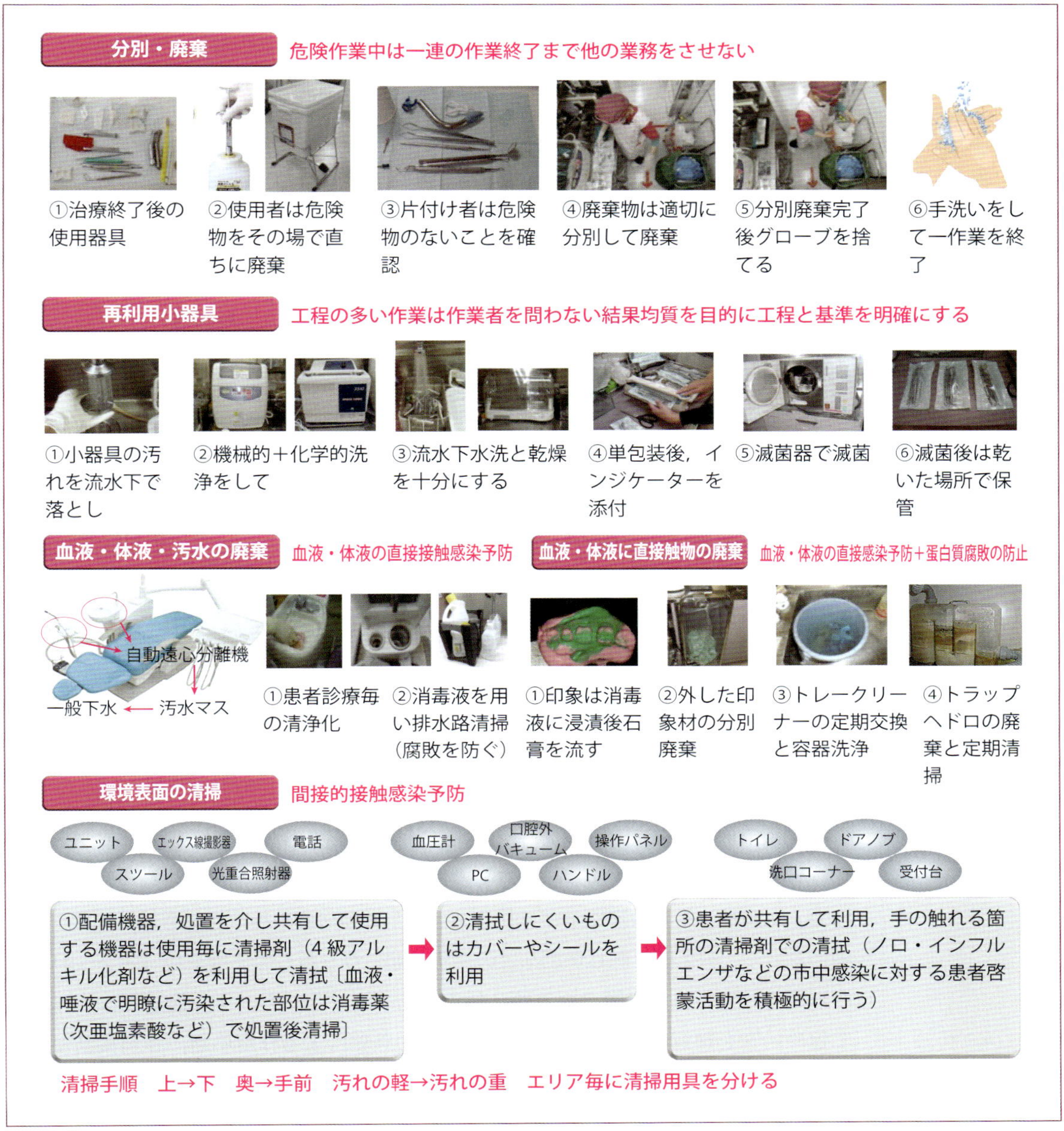

CHAPTER 2 安全管理責任者としての業務を理解しよう

分別・廃棄　危険作業中は一連の作業終了まで他の業務をさせない

①治療終了後の使用器具
②使用者は危険物をその場で直ちに廃棄
③片付け者は危険物のないことを確認
④廃棄物は適切に分別して廃棄
⑤分別廃棄完了後グローブを捨てる
⑥手洗いをして一作業を終了

再利用小器具　工程の多い作業は作業者を問わない結果均質を目的に工程と基準を明確にする

①小器具の汚れを流水下で落とし
②機械的＋化学的洗浄をして
③流水下水洗と乾燥を十分にする
④単包装後，インジケーターを添付
⑤滅菌器で滅菌
⑥滅菌後は乾いた場所で保管

血液・体液・汚水の廃棄　血液・体液の直接接触感染予防　　血液・体液に直接触物の廃棄　血液・体液の直接感染予防＋蛋白質腐敗の防止

自動遠心分離機　一般下水←汚水マス

①患者診療毎の清浄化
②消毒液を用い排水路清掃（腐敗を防ぐ）
①印象は消毒液に浸漬後石膏を流す
②外した印象材の分別廃棄
③トレークリーナーの定期交換と容器洗浄
④トラップヘドロの廃棄と定期清掃

環境表面の清掃　間接的接触感染予防

ユニット　エックス線撮影器　電話　スツール　光重合照射器
血圧計　口腔外バキューム　操作パネル　PC　ハンドル
トイレ　ドアノブ　洗口コーナー　受付台

①配備機器，処置を介し共有して使用する機器は使用毎に清掃剤（4級アルキル化剤など）を利用して清拭〔血液・唾液で明瞭に汚染された部位は消毒薬（次亜塩素酸など）で処置後清掃〕
→ ②清拭しにくいものはカバーやシールを利用
→ ③患者が共有して利用，手の触れる箇所の清掃剤での清拭（ノロ・インフルエンザなどの市中感染に対する患者啓蒙活動を積極的に行う）

清掃手順　上→下　奥→手前　汚れの軽→汚れの重　エリア毎に清掃用具を分ける

図2-18　歯科医院における作業プロセスに応じた感染対策例

　次に，感染リスクの高い作業についてのプロセスを明確にし，作業を分担する従事者が共有できるように行う行為の始まりと終わり，注意点をわかりやすくまとめます（図2-18）．実際の手順は，歯科医院ではすでに口述指示として行われているためそれらを文書化して下部手順書に組み込みます．

　院内感染対策責任者は，特定の経路（例：器具消毒再利用など）だけの対策を強化し全体像が見えなくなるようなことがないように，リスクに合わせてチェック

47

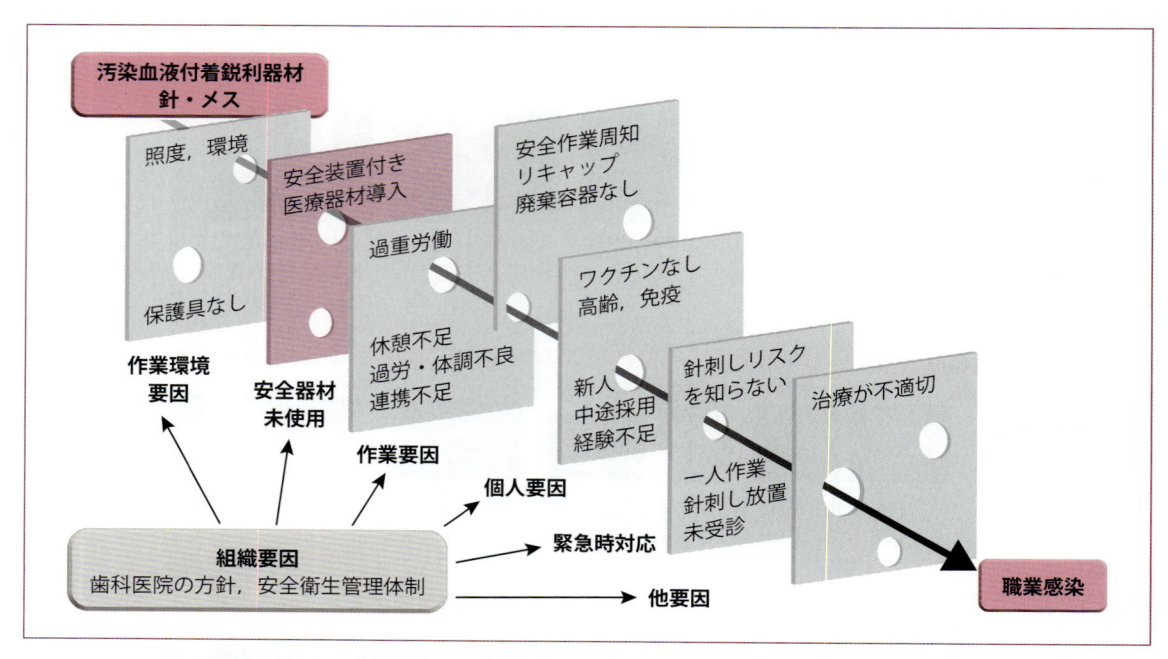

図2-19 職業上の曝露から血液媒介病原体に感染するリスク
（吉川 徹：針刺しによる医療事業者の職業感染と患者への院内感染防止の課題と対策.[5] 改変）

シートを作成し，記録に残すことが大切です．

❸ 院内感染対策における研修

　院内感染対策責任者は，従事者とともに日常業務を行いながらリスクコントロール（感染制御）に努めますが，一方で全従事者に感染リスクがあり注意を喚起すべき場面，時間帯，作業内容について共有をするための研修を行うことも重要です．従事者に対して，例えば針刺し切創などの発生は起こりうるものと想定し（図2-19），さらに起こってしまった際の対策等の研修を行います．また，歯科医院では，作業の工程や内容を理解しても，多重業務や作業の兼務による作業中断，作業集積が頻繁に起こることが感染対策上最大の問題となります．そこで，院内感染対策責任者は，作業を行う従事者の視座に立った正しい知識や行動，リスクの理解についてのテーマを設定し研修を行うようにします（図2-20）．

❹ 院内感染対策体制の改善

　診療に伴う感染のリスクは，さまざまな作業プロセスにつきまといますが，日頃から下記のような感染対策体制の改善を図る必要があります．図2-21に改善のための考え方および実際例を示します．
　①リスクのピックアップ：危機認識の共有
　②認識の共有（正しい知識習得）：行動基準を明確にする．

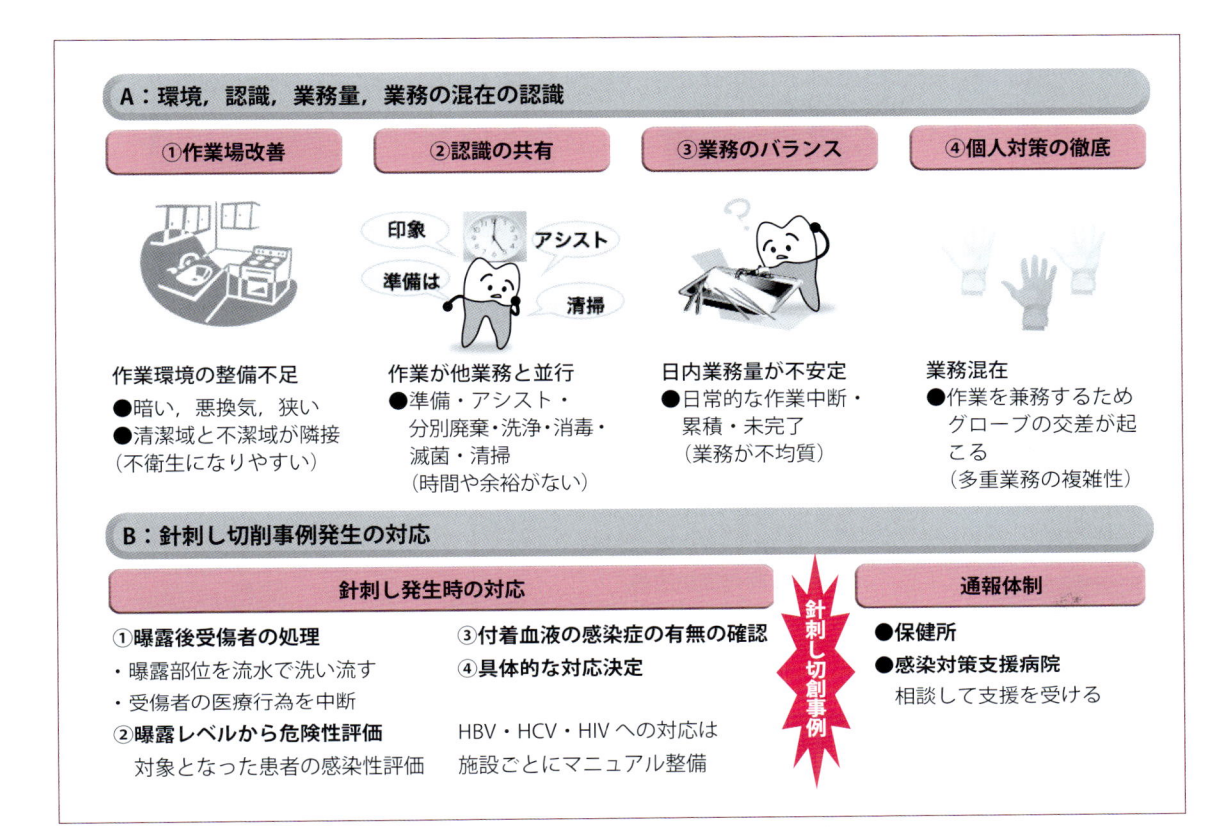

図 2-20　歯科医院における院内感染対策研修例

A：環境，認識，業務量，業務の混在の認識

①作業場改善
作業環境の整備不足
- 暗い，悪換気，狭い
- 清潔域と不潔域が隣接（不衛生になりやすい）

②認識の共有
作業が他業務と並行
- 準備・アシスト・分別廃棄・洗浄・消毒・滅菌・清掃（時間や余裕がない）

③業務のバランス
日内業務量が不安定
- 日常的な作業中断・累積・未完了（業務が不均質）

④個人対策の徹底
業務混在
- 作業を兼務するためグローブの交差が起こる（多重業務の複雑性）

B：針刺し切削事例発生の対応

針刺し発生時の対応
①曝露後受傷者の処理
- 曝露部位を流水で洗い流す
- 受傷者の医療行為を中断

②曝露レベルから危険性評価
- 対象となった患者の感染性評価

③付着血液の感染症の有無の確認
④具体的な対応決定

HBV・HCV・HIV への対応は施設ごとにマニュアル整備

通報体制
- 保健所
- 感染対策支援病院
相談して支援を受ける

（針刺し切削事例）

---

③プロセスの管理：作業の始まりと終わりを明確にする．
④各個人対策の徹底：標準予防策＋手洗い，予防接種，健康診断，従事者の体調管理
⑤職場環境改善：掃除から環境感染制御へ認識を変更

（五十嵐博恵）

4　病院における院内感染対策の留意点

❶―病院における院内感染の特徴

　院内感染とは，患者が病院内で治療を受けている疾患とは別に，新たな感染を受けて発病する場合をいいます．

　歯科疾患の治療が目的であっても，病院には外来，入院ともに易感染性の患者が受診します．高齢者，糖尿病，心不全，呼吸器疾患等の基礎疾患がある方や透析を受けている方，免疫抑制剤や抗がん剤等を用いている方などは，感染に対する抵抗性が減弱あるいは低下して感染しやすい状態にあります．

　入院患者ではメチシリン耐性黄色ブドウ球菌〈MRSA〉やバンコマイシン耐性腸

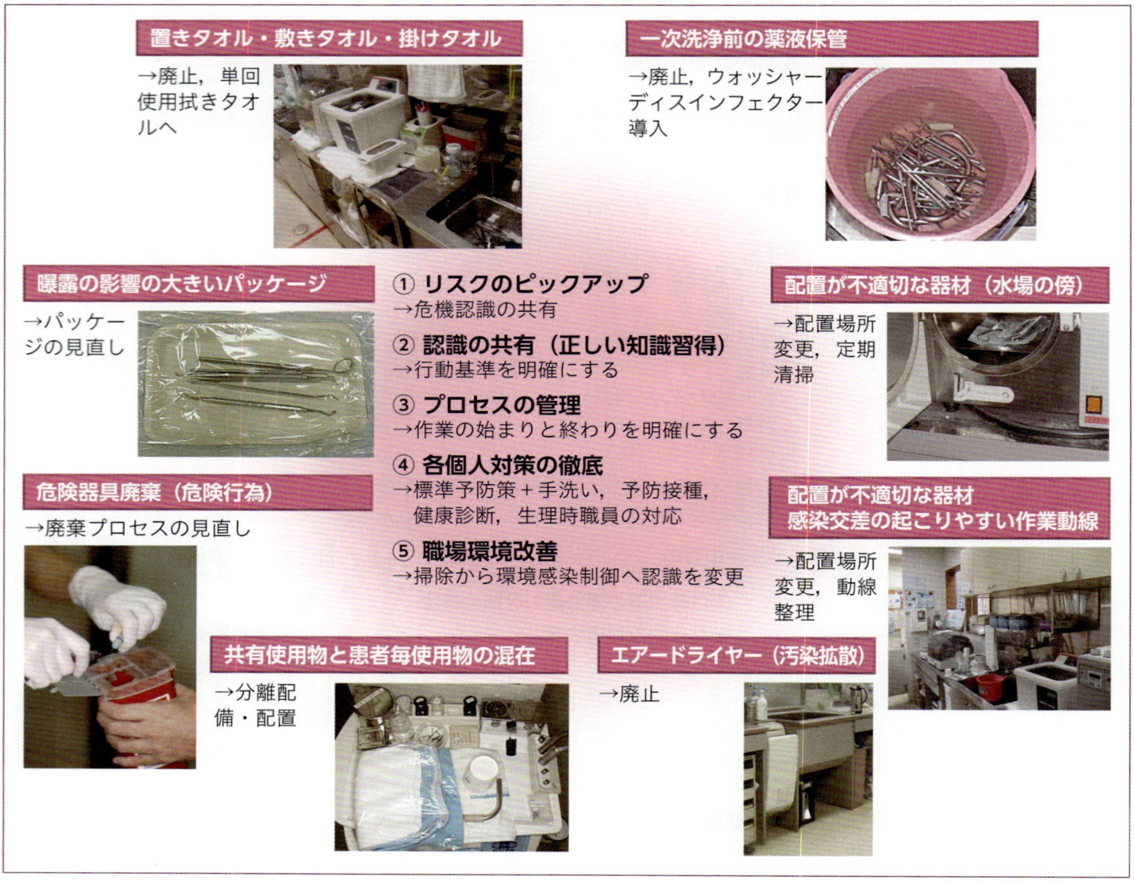

図 2-21 歯科医院におけるヒヤリ・ハット報告事例分析・改善例
医療提供環境から感染症の発生を完全に防ぐことは不可能であるため，リスクの管理・リスクの軽減をはかり，対策を講じて制御していく．（萌芽の森クリニック・歯科の研修例）

球菌〈VRE〉，ペニシリン耐性肺炎球菌〈PRSP〉などの薬剤耐性菌やレジオネラ菌，ノロウイルスなどに感染しやすく，院内感染が起こる可能性があるということも考慮して対応しなければなりません．

❷─院内感染に関する基本的な考え方

日々の病院内での診療において，院内感染の予防に注意し，感染症が発症した際には拡大防止のためにその原因の速やかな特定，制御，終息を図ることが大切です．

感染伝播のリスクを最小限に止めるためには，すべての湿性生体物質が感染性をもつと考えて対処する「**標準予防策〈standard precautions〉**」，そして標準予防策のみでは感染を完全に止めることができない場合に併せて行う「**感染経路別予防策**」の2つの観点に基づいた医療行為を実施することが必須です．これは，医療従事者に限らず病院の診療に携わる事務職員，実習生などを含む全員が理解し，行

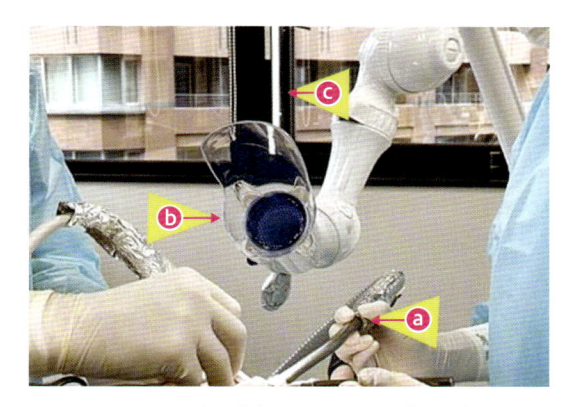

図 2-22　エアロゾル感染のリスクを下げる工夫
切削処置は個人用防護具（PPE）を着用し，口腔内バキューム（ⓐ），口腔外バキューム（ⓑ）を併用し，窓を開けて換気を行う（ⓒ）．

動しなければならない考え方です．

　人類の歴史においてはさまざまな感染症が流行し，その都度対策が行われてきました．昨今では，重症急性呼吸器症候群〈SARS〉，中東呼吸器症候群〈MERS〉，そして現在では，新型コロナウイルス感染症〈COVID-19〉の発生により，休診や診療縮小を余儀なくされた病院，歯科医院が多くありました．しかし，ウイルスの研究が進み，基本的な感染対策は継続し続けているものの日常生活における行動制限は蔓延当初とは様変わりしました．歯科診療においてもこれまで行ってきた感染対策に大きな変化はありませんでしたが，「**エアロゾル感染**」という新しい感染様式への対策が求められました．エアロゾル感染については国によって考え方が異なり，今のところ明確な定義は示されていませんが，このエアロゾルをいかに制御するかが注目されていて，空気感染対策と飛沫感染対策を併せたようなイメージの対応が必要であると考えられています．具体的にエアロゾルによる感染のリスクを下げるためには，十分な室内の換気を行うこと，口腔内・口腔外バキュームを併用して可能な限りエアロゾルの飛散を抑えること，そしてキャップ，ゴーグル，マスク，ガウン，グローブといった個人用防護具（PPE：personal protective equipment）を正しく着脱し診療を行うことなどがあげられます（図 2-22）．

　COVID-19 に対してだけでなく，今後蔓延するかもしれない新興感染症，再興感染症に対しても適宜，それらの特性を踏まえた歯科診療の対応が求められることになるでしょう．

❸─院内感染対策のための組織編成

　院内感染対策を円滑に推進するためには，院内感染に関する病院全体の問題を把握し，改善策を講じることを目的とした組織が必要となります．

　一例として，当院においては医師，歯科医師，看護師，薬剤師，臨床検査技師，

ICT部会 巡回チェック表（2019年10月改訂）

年 月 日

2・3・4・5・6階

	YES	NO	OTHER
1. 診療室			
(1) 水回りは整頓され、乾燥している。			
(2) 清潔域・不潔域が分けられている。			
(3) 感染性廃棄物や鋭利な器具が床に落ちていない。			
(4) 床面に直に物品が置かれていない(私物等)。			
(5) ユニットやシンクに感染性廃棄物(印象・バイト・使用後の器具・使用済みグローブ・マスク等)が放置されていない。			
(6) P-BOXは容量を守り、中身がケース外に飛び出していない。			
(7) 飛沫処置の際、術者・介助者が個人防護具を着用している。			
(8) 器具の滅菌バッグに破損がなく、滅菌期限が守られている。			
(9) 口腔外バキュームが清掃されている。			
(10) 通気口に埃の堆積がない。			
2. 消毒室			
(11) オートクレーブやWDの点検がされている。			
(12) ゴミは分別され、ゴミ箱から溢れいていない。			
3. 石膏操作室 ＊感染性廃棄物の放置がないかチェック			
(13) 清掃されており感染性廃棄物や鋭利な器具が落ちていない。			
(14) 清掃用具(スポンジ等)の破損やカビがない。			
(15) 通気口に埃の堆積がない。			
4. X線検査室			
(16) X線検査室は整理・整頓されている。			
(17) ゴミは分別され、ゴミ箱から溢れていない。			
5. 口頭試問(1名以上に実施) 学生・Dr・DH・臨研			
(18) 手洗いの種類(日常・清潔・手術時)と方法について説明できる。			
(19) 診療後のマスクの外し方を説明できる。			
(20) 診療後のユニットの清掃、感染性廃棄物の処理の説明ができる。			
(21) 印象採得後の印象の取り扱いについて説明できる。			

【特記事項】 Otherにチェックが入った項目の詳細、その他気づいたこと
＊顎マスク、片手グローブ、不潔な清掃器具、エプロンの貼り付け、インジケーター放置等

ICT部会 巡回チェック表（2019年10月改訂）

年 月 日

7階

	YES	NO	OTHER
1. 病室			
(1) 病室内、手洗い場は清潔である。			
(2) 段ボール、物品、私物を床面に直置きしていない。			
2. ナースステーション			
(3) 段ボール、物品、私物を床面に直置きしていない。			
(4) 使用済みマスク、グローブが放置されていない。			
3. 処置室			
(5) ユニットやシンクは清掃され、感染性廃棄物が放置されていない。			
(6) 通気口に埃の堆積がない。			
(7) ゴミは分別され、ゴミ箱から溢れいていない。			
(8) P-BOXは容量を守り、中身がケース外に飛び出していない。			
(9) 器具の滅菌バッグに破損がなく、滅菌期限が守られている。			
4. 共有スペース			
(10) 風呂やトイレが清潔で、マットや雑巾は乾燥している。			
(11) 患者の身体が触れる場所、カーテンにカビが生えていない。			
(12) 氷置き場が清潔である(扉にカビがないか)。			
5. 廊下			
(13) ゴミ置き場が整頓されている。			
(14) 清掃用具が清潔に管理されている。			
(15) 通気口に埃の堆積がない。			
5. 口頭試問(1名以上に実施) 学生・Dr・DH・臨研			
(18) 手洗いの種類(日常・清潔・手術時)と方法について説明できる。			
(19) 診療後のマスクの外し方を説明できる。			
(20) 診療後のユニットの清掃、感染性廃棄物の処理の説明ができる。			

【特記事項】 Otherにチェックが入った項目の詳細、その他気づいたこと
＊顎マスク、片手グローブ、不潔な清掃器具、エプロンの貼り付け、インジケーター放置等

図 2-23 ICT ラウンドの評価項目の例

管理栄養士，歯科技工士，歯科衛生士らで構成された「院内感染予防対策委員会（以下，委員会）」を設置しています．さらに委員会の基本方針をもとに具体的な感染予防対策の基準・手順などを立案・実行・評価することを目的として，傘下に抗菌薬適正使用部会，滅菌管理部会，感染対策チーム（ICT：infection control team）部会，感染性廃棄物管理部会，HIV 対策部会，手術部位感染（SSI）部会を配置しています．

また，ICT 部会は，インフェクションコントロールドクター（ICD：infection control doctor），感染管理担当ドクター，看護師，感染管理担当歯科衛生士で構成され，感染予防対策における定期的な院内巡視を行い，リスク事例の把握と評価，周知対策そして指導を行います（図 2-23）．

❹—全職員，学生への周知と徹底

病院職員や研修医，実習生などさまざまな職種が診療に携わっている病院内においては，院内感染予防対策の基本的考え方や具体的方策について，周知・徹底を図るために定期的に年に 2 回，さらに必要に応じて研修会を開催します．これにより，委託・派遣職員を含む病院全職員の感染予防対策に関する理解，意識の向上を図ります．また，院内感染予防対策マニュアルを作成して全職員に配布し，マニュ

アルを遵守することで院内感染予防対策を実施します．マニュアルは適宜見直しを行い，改定結果を全職員に周知します．

実習生に対しては，実習のみならず講義などを通して感染予防についての教育が求められます．近年は，標準予防策や感染経路についてなど，資格試験で感染予防対策に関する項目が多く出題されています．ガイドラインなどの科学的根拠に基づいたマニュアルの作成，周知や教育を行い，現場に反映することが肝要です．

❺──院内感染の報告と調査（サーベイランス）

サーベイランスとは「監視」，「見張り」という意味ですが，院内感染対策においては，院内感染症や薬剤耐性菌に関する発生状況や変化などを継続的に監視するということになります．

院内感染のサーベイランス対象としては，手術部位感染症や医療器具関連感染症などがあげられます．院内感染を早期に把握し，原因の究明や対応を行うことは**アウトブレイク***の防止につながります．

院内感染に関する客観的な情報を収集することは，対策を立てるうえで極めて重要であり，情報を繰り返し収集することで，対策自体を評価することができます．

さらに収集した情報を検証，分析し，その結果を関連部署にフィードバックすることで，再発防止策の立案にも活用します．

*アウトブレイク
アウトブレイクとは，一定期間内に病院内などで同一の感染症が通常よりも高いレベルで発生すること．

❻──院内感染発生時の対応

院内感染発生時は，状況の把握に努め，必要に応じて専門家やICTの召集を行い対策に介入させます．ICTは，速やかに発生の原因（感染源，感染経路，感染範囲）を究明し，二次感染の予防に努めます．院内感染に対する改善策の実施結果は，委員会等を通じて速やかに職員に通達することが必要です．

また，感染症法に基づく対象疾患では，医師の診断と保健所への届け出が必要です．

❼──予防接種

感染症は，「**病原体（感染源）**」，「**感染経路**」，「**宿主**」の3つの要因がそろうことで感染が成立します．院内感染対策においては，この要因を1つでも取り除くことが重要です．

この3つの中で，感染経路の遮断は感染拡大防止のためにとても重要な対策になりますが，宿主の抵抗力を向上させることも有効な手段で，それがワクチン接種ということになります．

ワクチン接種の対象は，針刺し・切創および血液・体液曝露対策だけでなく，患者にうつさないためにも，臨床現場にかかわるすべての医療従事者を対象とする必要があります．また，COVID-19では，感染だけでなく濃厚接触者に認定され，

長期の欠勤を余儀なくされた医療従事者も少なくありません．そのため医療従事者は，重症化しやすい高齢者や基礎疾患がある人たちと同様に，優先的に接種の対象となりましたが，ワクチン接種は欠勤による病院の機能低下防止にもなります．

　しかし，欧米に比べてわが国のワクチン接種率は決して高くはないとされています．医療従事者には6種類（B型肝炎，インフルエンザ，麻疹，風疹，水痘，流行性耳下腺炎）のワクチンが推奨されています．B型肝炎やインフルエンザ以外はなんとなく子どもが受けるものというイメージや，副反応を考えるとつい敬遠しがちになってしまうのかもしれません．

　ワクチン接種率の向上には，院内の感染対策委員や外部の専門家による講習会の開催，接種機会の提供など，病院全体で取り組んでいくことが大切です．ワクチン接種の必要性，重要性と副反応発生時の対応などを理解すると同時に，勤務の調整や費用の負担など組織的な工夫を行っていくことが必要になります．

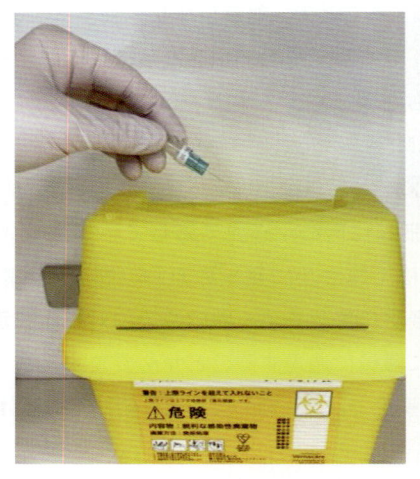

図2-24　使用後，危険物の廃棄
使用後の危険物は専用の容器に廃棄する．容器の色をバイオハザードマークの色と同じにすることで分別がわかりやすくなる．

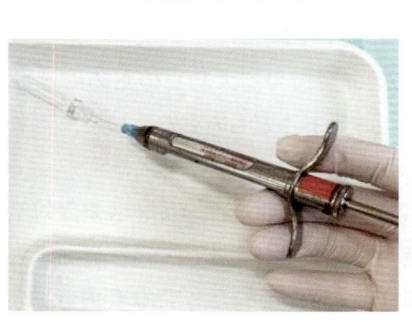

図2-26　鑷子による片付け
鑷子を使用して，片手で鋭利な器具を片付ける．

図2-25　注射針のリキャップ
注射針はトレーの隅を使い，片手でキャップをする．

❽——針刺し・切創および血液・体液曝露の予防と対策

　針刺し・切創および血液・体液曝露事故（以下，**針刺し事故**）は，患者の血液や体液などで汚染された器具によって外傷を受けることを指します．針やメス刃など鋭利な器具・器材を扱うときに切創が生じることだけでなく，タービンバーや超音波スケーラーの先で傷つくことも針刺し事故となります．針刺し事故を防ぐために，耐貫通性の密閉可能な専用廃棄容器をすぐ手が届く場所に設置し，使用後の針やメス刃などの危険物は直ちに廃棄します（図2-24）．また，タービンバーや超音波スケーラーなど先端が鋭利な切削器具は，使用を終えたタイミングで，バーやチップを取り外して針刺し事故を防止します．

　針刺し事故防止の具体的な対策としては，①注射針はトレーの隅にキャップを置き，注射筒を持った片手で掬い上げるようにしてリキャップをする（**ワンハンドスクープテクニック**，図2-25），②メス刃など鋭利な器具の着脱は専用の器具で行う，③鋭利な器具の片付け場所や先端の向きを統一する，④器具に直接手で触れるのではなく可能であれば鑷子などで把持して片付ける（図2-26）なども有効です．

　使用後の器具の片付け，洗浄の際の針刺し事故が多いことから，病院内で危険物の処理方法，器具の片付け方，洗浄方法のルールを策定，統一し，実施することも必要です．

　さまざまな職種の人が診療に携わる病院では，病院全体で危険物の処理，廃棄方法などを周知徹底し，適切に行われているかを適宜確認，指導することも必要です．そして，各々が血液で汚染された危険物を扱っているという認識をもって操作することが何よりも重要です．

　細心の注意を払って診療を行いますが，万が一，針刺し事故が発生した場合は，直ちに診療から離れ，責任者に報告し，マニュアルに沿って対応します．

（安藤真紀，石垣佳希）

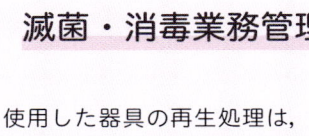

COLUMN 8

滅菌・消毒業務管理の基本

　使用した器具の再生処理は，洗浄・消毒，包装，滅菌，保管という流れで行います．

　すべての器具を滅菌することは不可能であり，コストや時間がかかり器具の劣化にも繋がります．スポルディングの分類をもとに感染のリスクによる分別をし，各々の器具にあった処理を行うことが推奨されています．

1）診療後の片付け

　診療後は，まず針・メス刃などの鋭利な危険物を耐貫通性の密閉可能な専用容器に廃棄し，血液・唾液が付着したロールワッテやガーゼ類は感

染性廃棄物として廃棄します．

　目に見える固着した汚染，隙間に挟まった異物は洗浄前に落とす必要があります．歯科診療では，スパチュラやガラス練板に付着したセメントなどが該当し，付着後は直ちに拭き取ることで対応します．

2）洗浄・消毒

　作業を行う際には個人用防護具を着用します．使用済みの器具は可及的に速やかな洗浄が必要となります．使用した直後に洗浄できない場合には，血液凝固防止剤を使用し，血液などの汚染物の固着，乾燥を防ぎます．洗浄前に薬液に浸漬することは，タンパク質の変性凝固を起こすことになるので避けなければなりません．

　用手洗浄，もしくは超音波洗浄器やウォッシャーディスインフェクターによる器械洗浄は歯科医院の設備や器具の材質，用途によりどの方法で行うかを選択しますが，用手洗浄を必要最小限とすることで，作業者の飛沫の曝露や針刺し事故などによる感染のリスクを下げることができます．また，用手洗浄，超音波洗浄では，洗浄後に作業者が乾燥を行う必要がありますが，ウォッシャーディスインフェクターによる器械洗浄は，熱消毒，乾燥までの工程を自動で行うことができます．家庭用洗剤ではなく酵素含有の医療用洗浄剤を用いることで，血液や唾液などの汚染物質を効果的に除去します．

3）包装

　滅菌バッグは無菌バリア性を確保できる気密性のあるもの，そして滅菌物の周囲に余裕のあるサイズを選択し，単回使用にします．シーリングを行う際は開封しやすいように位置に注意し，シワや折り目がついていないことを確認します．滅菌日や滅菌期限は紙面ではなくビニール面上部に印字します．

4）滅菌

　滅菌にはいくつかの方法がありますが，最もよく用いられるのは高圧蒸気滅菌です．高圧蒸気滅菌に必要な条件は，温度，圧力，時間，飽和蒸気です．滅菌器や滅菌バッグの中に蒸気を十分浸透させて，滅菌物に確実に蒸気が接触する必要があるので，詰め込み過ぎず，効果的に蒸気を取り込めるように滅菌物を配置しなければなりません．

　過酸化水素低温ガスプラズマ滅菌は，高圧蒸気滅菌に耐えられないプラスチック製品やゴム製品などに使用できます．紙，ガーゼ，布製品など水分や空気を含むものには使用できず，45℃の滅菌温度に耐えられないものも滅菌できません．

　確実に滅菌処理された医療機器を供給することは，院内感染対策を実施するうえで重要です．適切な滅菌工程が達成されているかを確認するために，滅菌インジケータを適切に使用する必要があります．滅菌インジケータには，物理的インジケータ，生物学的インジケータ（BI），化学的インジケータ（CI）などがあります（p.43 参照）．

5）保管

　滅菌物は正しい保管，適切な取り扱いによって無菌性が維持されます．滅菌された器具は乾燥させた状態で保管します．埃・湿気を避け，床上20 cm 以上の場所に，また，未滅菌の物と間違って使用しないために未滅菌物と滅菌物が混在しない場所に保管します．

　適切な保管状態で維持された物のみを使用することが重要です．　　　　　　（安藤真紀，石垣佳希）

Ⅳ 歯科訪問診療における感染予防対策

1 歯科訪問診療時の感染予防対策の基本

　歯科訪問診療の主な対象患者は要介護者です．**要介護者**は，何らかの全身疾患をもっていることが圧倒的に多く，感染症患者も少なくありません．さらに高齢者は，免疫力の低下に伴い，感染症にかかりやすく重篤化しやすい反面，重篤な感染症でも症状が出にくく，感染が隠れている場合もあります．また，摂食嚥下機能が低下している患者が多く，その場合は誤嚥による肺炎（**誤嚥性肺炎**）を起こしやすいということも特徴の1つとしてあげられます．したがって，歯科訪問診療における治療や歯科的ケアにおいても，感染予防対策に細心の注意を払う必要があります．そのため，外来の患者とまったく同様に標準予防策の原則を遵守することが基本となります．

　また，訪問先は院内のように，水周りをはじめ医療従事者が必要とする診療環境を確保することが容易ではありませんので，感染予防対策に関しては訪問先の患者本人あるいは家族や施設職員等へ十分な説明を行い，理解を得ることを忘れてはなりません．そこで，以下に述べるような訪問診療時の特徴を踏まえた対策を行います．

2 訪問先の居宅，施設等への配慮

❶ 移動用車両の衛生管理

　移動用車両内は整理・整頓を心掛け，清掃しやすい環境にしておきます．高頻度接触部位（ドアノブ，ハンドルなど）は定期的に消毒を行いましょう．

❷ 身だしなみ

　感染性微生物が衣服から伝播する可能性は低いと考えられますが，訪問に際し衣服は清潔なものを着用しましょう．手洗い，グローブ，ガウンなどの効果を高めるために，上衣は基本的に半袖とし，防寒のために上着を着ている場合でも，診療に際しては脱いで処置を行います．また，髪は適切にまとめ，身だしなみを整えましょう．

❸ 水周り環境の利用に関する注意

　訪問先の水周り設備を使用することについて，初回訪問時にその必要性を十分に説明し使用の同意を得る必要があります．使用の際には，診療に使用する材料や薬品などによる汚染や腐食，排水の目詰まりなどにも十分な配慮をします．

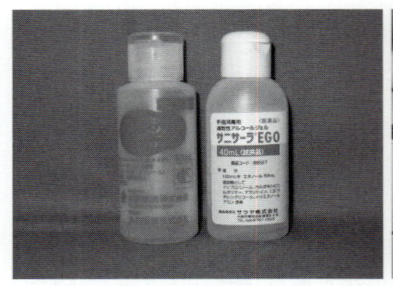

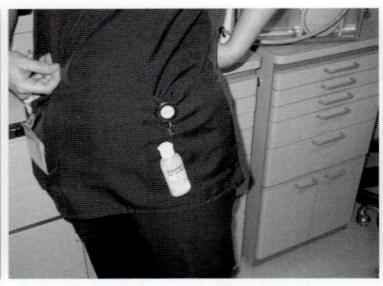

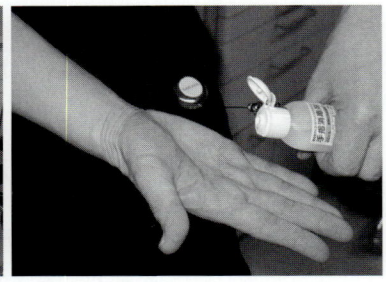

図 2-27　携帯用手指消毒薬
図のように，ホルダーで携帯し，必要に応じて使用する．

3　手指衛生

　手指衛生は，標準予防策の根幹です．その方法には流水と液体石けんを用いる方法（**手洗い**）と擦式アルコール手指消毒薬を用いる方法（**手指消毒**）があります．

❶──手洗い

　感染予防策の基本は手洗いです．可能な限り手洗いが行える環境を確保するようにします．手洗いに必要な物品（液体石けん，ペーパータオル，ハンドローションなど）は持参し，使用したペーパータオルはすべて回収します．

❷──手指消毒

　目に見える汚れが手指にない場合には，手指消毒が有効となります．手指消毒薬は医療従事者が個々に携帯することが望ましいでしょう（図 2-27）．

4　歯科訪問診療時の患者への感染予防対策

❶──歯科診療環境の整備（ゾーニング*）

　歯科訪問診療では生活の場に診療の場を設けなければならず，適切に**ゾーニング・環境整備**を行うことは難しく，その現場ごとに応用力が求められます．

1）在宅の場合

　家全体を汚染域と想定する方法と，診療を行う部屋を汚染域と想定する方法などを訪問宅により設定する必要があります．在宅診療においては生活の場である環境表面は，患者の体液や排泄物で汚染されている可能性があると認識しておきましょう．

2）介護施設等の場合

　可能な限り診療のための個室を確保し，共有スペースでの診療は避けることが望ましいでしょう．共有スペースで診療を行わざるを得ない場合は，ほかの入居者と

---

*ゾーニング
病院内の清掃および環境整備を行ううえで，清潔要求度に応じて病院内を区分すること．訪問診療では，病院におけるゾーニングの考え方に基づき，それぞれの現場における区分を行う必要がある．

の距離を十分にとりましょう（目安として 2 m 以上）．複数人が居住する大部屋で診療を行う場合は，カーテンなどで仕切るようにしましょう．

❷─歯科診療による汚染拡大防止対策

1）診療エリア内への器材等持ち込み数の限定
　診療に必須でないものは診療エリア内に持ち込まず，必要最小限としましょう．電子カルテなどで使用するノートパソコンへの入力は，診療エリア外で行います．

2）防水あるいは撥水シートの活用
　診療を行うにあたり，可能な限り清潔なエリアを確保し，水や薬品による汚染や腐食を防止するために防水あるいは撥水性のシートを使用します．撥水シートは，水滴の長時間放置や上から圧をかけることにより水が通過するため，水をこぼした場合は素早く拭きとります．また，アルコールや有機溶剤は撥水シートを容易に通過するため注意が必要となります．

3）レジン・金属等切削片の飛散防止対策
　義歯やクラウンなどの調整において，その切削片が飛散します．飛散を可能な限り防止する対策が必要となります．

❸─患者間等の待機時間
　介護施設等において同じ空間で複数の患者を連続して診療する場合は，次の患者の診療までに**待機時間**を設けましょう．在宅の場合，歯科診療後にほかの医療・介護従事者が入室するまでの待機時間を確保することが望ましいでしょう．

❹─誤嚥予防対策

1）体位
　下顎を挙上させないことが基本となります．嚥下機能が低下している場合は，特に注意が必要となります．座位が可能な場合は，背もたれのある安定した椅子や車椅子に深く腰掛けさせ，足底は床またはフットレストに接地させます．ベッド上で仰臥位にて診療する場合は，ベッドアップの角度を適切に調整します．必要に応じて体位保持の補助用具を利用し，麻痺や拘縮*による体幹の傾きは可能な範囲で補正します．なお，体位やその変換が制限されていることがあるため，主治医の指示や患者本人・介護者からの確認を行い，可能な範囲で対応しましょう．

2）吸引装置の利用
　誤嚥を予防する体位の確保にも限界があります．誤嚥の可能性が高い場合には，診療にあたり常に**吸引装置**を利用するようにします．家庭や施設に吸引装置が常備されている場合には，使用の許諾を得て利用します．吸引装置の常備がない場合には，持参する必要があります．

*拘縮
皮膚，皮下組織，筋膜，靱帯，関節包などが瘢痕化または癒着し，伸縮性を失い短縮して本来の長さを維持できなくなった状態．軟組織の収縮や短縮によって正常な関節の動きが阻害された状態．

❺──歯科治療による菌血症の予防対策

　訪問のたびごとに，まずは**専門的口腔清掃**を行って患者の口腔内を清潔にします．その際に，含嗽が可能な場合は抗菌成分配合の洗口液を使用します．含嗽ができない場合は，口腔清掃に抗菌成分配合の湿潤／保湿剤などを利用したり，口腔清掃後に消毒薬（0.025％塩化ベンザルコニウムなど）による清拭を行います．

❻──歯科医療従事者の体調管理

　歯科訪問診療の対象となる要介護者は，易感染性宿主と考えてよいでしょう．したがって，訪問に際しては，医療従事者が風邪による咳やくしゃみ，発熱などの症状がある場合には訪問スタッフから外れる必要があります．また，皮膚疾患や消化器症状（吐き気，嘔吐，下痢など）などにも注意が必要です．

5　歯科訪問診療時の歯科医療従事者の職業感染予防対策

❶──個人用防護具（PPE）

　患者からの病原微生物の曝露から身を守り，感染の媒介とならないよう適切に個人用防護具を使用します．使用の際は，家族や施設職員に誤解のないよう必要性について十分な説明を行います．

❷──ワクチン接種

　医療従事者はあらかじめインフルエンザなどのワクチンの接種によって感染の可能性を低減しておくとよいでしょう．

❸──針刺し切創防止対策

　診療に使用した針やメスなどの鋭利な**シングルユース器材**＊（single-use device：SUD）を格納する容器が必要となります．容器は訪問診療専用として，確実に密閉可能な耐貫通性の物にし，容量は最低限少量の物を選択します．

（藤田浩美／藤井一維）

＊シングルユース器材
単回使用器材．1回限り使用できるとされている物．ちなみにディスポーザブル器材は，用済み後は捨ててもよいように作られた使い捨てのもの．例えば，食器洗いや清掃などに繰り返し使用するような厚手のグローブはディスポーザブル，医療で一患者一処置に使用するグローブはシングルユース．

V　感染性廃棄物の管理 ─特別管理一般廃棄物・産業廃棄物の処理

1　廃棄物の定義と分類

❶──廃棄物とは？

　一般に廃棄物処理法とよばれる法規の正式名称は，『**廃棄物の処理及び清掃に関**

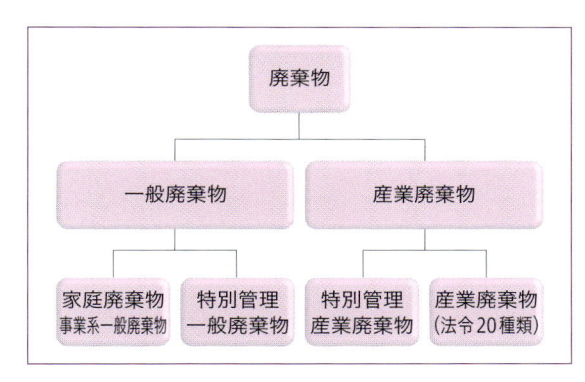

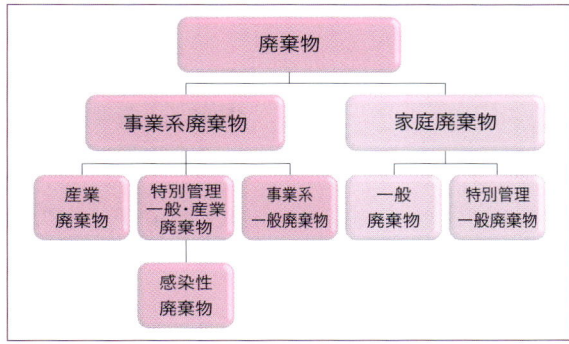

図2-28　廃棄物の区分

図2-29　排出ルート別廃棄物の分類

する法律』であり，廃棄物はすべてこの法律でコントロールされます．

廃棄物とは，ごみ，粗大ごみ，燃え殻，汚泥，糞尿，廃油，廃酸，廃アルカリ，動物の死体その他の汚物または不要物で，固形状または液状のものをいいますが，これらのうち，放射性物質や放射能汚染物質を除くものとされています．

❷──廃棄物の分類（図2-28，29）

廃棄物は**一般廃棄物**と**産業廃棄物**の2種類に大別されます．

一般廃棄物はいわゆる"ごみ"とよばれる一般廃棄物（家庭廃棄物および事業系一般廃棄物）と特別管理一般廃棄物に分類されます．

産業廃棄物については，廃棄物の処理及び清掃に関する法律で定められた20種類をいわゆる**産業廃棄物**とよび，これ以外の特に指定された有害物質を**特別管理産業廃棄物**とよびます．

特別管理廃棄物は，爆発性，毒性，感染性その他の人の健康または生活環境に係る被害を生ずるおそれがある性状を有するものと定められており，上記の記載どおりその内容によって**特別管理一般廃棄物**と**特別管理産業廃棄物**に分類されます．

なお，上記の特別管理一般廃棄物および特別管理産業廃棄物のうち，医療関係機関等から生じ，人が感染し，もしくは感染するおそれのある病原体が含まれ，もしくは付着している廃棄物またはこれらのおそれのある廃棄物を**感染性廃棄物**といいます．具体的には廃棄物となった脱脂綿，ガーゼ，包帯，ギプス，紙おむつ，注射針，注射筒，輸液点滴セット，体温計，試験管等の検査器具，有機溶剤，血液，臓器・組織を指します．

歯科医院は事業所であることから，そこから排出される廃棄物は本来，すべてが**事業系廃棄物**です．この廃棄については，事業者が処理費用を支払って一般廃棄物処理業の許可業者に委託することが多くなっています．しかし，取り扱いについては各地方自治体の条例による規定で異なってきますので注意が必要です．

非感染性廃棄物	
医療機関名等	
特別管理産業廃棄物 管理責任者	
排出年月日	

図 2-30　非感染性廃棄物ラベルの例
縦：55 mm 以上，横：70 mm 以上

2　感染性廃棄物の判断基準

❶—感染性廃棄物の形状

（1）血液，血清，血漿および体液
（2）手術等に伴って発生する病理廃棄物（摘出または切除された臓器，組織，皮膚等）
（3）血液等が付着した鋭利なもの
（4）病原微生物に関連した試験，検査等に用いられたもの

❷—感染性廃棄物の排出される場所

感染症病床，結核病床，手術室，緊急外来室，集中治療室，検査室における治療，検査等で排出されたもの．

❸—未使用のメス・注射針等について

未使用のメス・注射針等の取り扱いについては，未使用ゆえに明らかに非感染性の廃棄物であったとしても，医療機関から排出されたこれらの鋭利なものについては当事者（当該医療機関関係者）以外がそれを判断できないため，感染性廃棄物と同等の取り扱いとすることになっています．ただし，**非感染性廃棄物ラベル**（図 2-30）を貼付した場合はその限りではありません．

3　産業廃棄物と一般廃棄物の分類（分別）

産業廃棄物か一般廃棄物かの分別は，1 つの目安としてはおおむね燃えるか燃えないかで判断できますが，医療機関で排出される産業廃棄物と一般廃棄物を表 2-4 に示します．

なお，これらのなかで，感染性廃棄物または感染が疑われる廃棄物は特別管理廃棄物となるので，特別管理産業廃棄物か特別管理一般廃棄物となります．

表 2-4　医療関係機関等から発生する主な廃棄物

産業廃棄物	汚　泥	血液（凝固したものに限る），検査室・実験室等の排水処理施設から発生する汚泥，その他の汚泥
	廃　油	アルコール，キシロール，クロロホルム等の有機溶剤，灯油，ガソリン等の燃料油，入院患者の給食に使った食用油，冷凍機やポンプ等の潤滑油，その他の油
	廃　酸	レントゲン定着液，ホルマリン，クロム硫酸，その他の酸性の廃液
	廃アルカリ	レントゲン現像廃液，血液検査廃液，排血液（凝固していない状態のもの），その他のアルカリ性の液
	廃プラスチック類	合成樹脂製の器具，エックス線フィルム，ビニルチューブ，その他の合成樹脂製のもの
	ゴムくず	天然ゴムの器具類，ディスポーザブルのグローブ等
	金属くず	金属製機械器具，注射針，金属製ベッド，その他の金属製のもの
	ガラスくず，コンクリートくずおよび陶磁器くず	アンプル，ガラス製の器具，びん，その他のガラス製のもの，石膏模型，ギプス用石膏，陶磁器の器具，その他の陶磁器製のもの
	ばいじん	大気汚染防止法第2条第2項のばい煙発生施設及び汚泥，廃油等の産業廃棄物の焼却施設の集じん施設で回収したもの
一般廃棄物		紙くず類，厨芥，繊維くず（包帯，ガーゼ，脱脂綿，リネン類），木くず，皮革類，実験動物の死体，これらの一般廃棄物を焼却した「燃え殻」等

4　管理責任者としての業務の基本

　医療機関のように事業に伴い特別管理産業廃棄物を生じる事業場を設置している事業者（医療機関では開設者または管理者）は，特別管理産業廃棄物の処理に関する業務を適切に行わせるため，事業場ごとに，特別管理産業廃棄物管理責任者を選任しなければなりません．

　この特別管理産業廃棄物管理責任者の資格は，医療機関では医師，歯科医師，薬剤師，保健師，助産師，看護師，臨床検査技師，衛生検査技師，歯科衛生士となっています（廃棄物処理法施行規則第8条の17）．なお，事業者が自ら特別管理産業廃棄物管理責任者となることもできます．

❶ 特別管理産業廃棄物管理責任者の業務

　特別管理産業廃棄物管理責任者の果たすべき役割は，当該責任者がおかれた医療機関における特別管理産業廃棄物に係る管理全般にわたる業務を法に基づいて適正に遂行することであり，基本的な業務は図 2-31 のとおりです．
　具体的な業務は，
（1）院内で生じる感染性廃棄物管理体制の充実を図ること
（2）院内で生じる感染性廃棄物の取り扱いについて管理規定を作成すること
（3）感染性廃棄物の処理が適正に行われているか監視すること

①特別管理産業廃棄物の排出状況の把握
②特別管理産業廃棄物処理計画の立案
③適正な処理の確保(保管状況の確認,委託業者の選定や適正な委託の実施,マニフェストの交付,保管等)

図2-31　特別管理産業廃棄物管理責任者の業務

図2-32　バイオハザードマーク
赤色：液状または泥状のもの(血液等)
橙色：固形状のもの(血液の付着したガーゼ等)
黄色：鋭利なもの(注射針等)

(4) 感染性廃棄物と非感染性廃棄物の分別を行い，それぞれの廃棄容器には感染性(**バイオハザードマーク，図2-32**)や非感染性であることを明記したラベル(図2-30)の有無を確認すること．なお，マークを付けない場合は「感染性廃棄物」(感染性一般廃棄物または感染性産業廃棄物のみの場合はその名称)と明記する

(5) 感染性廃棄物の院内移動時は，内容物が飛散・流出しないように蓋付きの容器などを使用していることを確認すること

(6) 清潔区域[*1]と不潔区域[*2]を区別すること

(7) 患者の処置終了ごとに環境，衛生管理を行うこと

(8) 感染性医療廃棄物は，他の廃棄物と区別して一時保管すること

(9) 一時保管は極力短期間とし，関係者以外が立ち入れないようにすること

(10) 感染性医療廃棄物は，委託した特別管理産業廃棄物収集運搬業者が収集し，処理現場に搬送するが，これをマニフェストで確認すること

[*1] **清潔区域**
患者動線のエリア(処置，手術，投薬・注射，採血)を行う場所．

[*2] **不潔区域**
感染性廃棄物の後始末をする場所．

5 非感染性の廃棄物の表示

　前述のように非感染性の廃棄物であっても，一般人は外見上感染性廃棄物との区別がつきません．この場合，処理業者との信頼関係を構築するためには，医療機関が責任をもって非感染性廃棄物であることを明確にする必要があります．そこで，非感染性廃棄物の容器に非感染性廃棄物であることを明記したラベル（図 2-30 参照）を付けることが推奨されます．

　なお，この導入にあたっては，関係者で事前に十分に調整する必要があります．

6 特別管理産業廃棄物管理票〈マニフェスト〉の交付・保管

　医療機関は，感染性廃棄物の処理を業者等に委託する場合，感染性廃棄物を引き渡す際に，定められた様式の**産業廃棄物管理票〈マニフェスト〉**に必要な事項を記入して交付しなければなりません（図 2-33）．

　なお，最近はこの紙媒体のマニフェスト交付の代わりに，**電子マニフェスト**を利用することができるようになりました（図 2-34）．

　医療機関は，感染性廃棄物が最終処分まで適正に処理されたことを処理業者から返送されるマニフェストの写しにより確認する義務があります．定められた期間内にマニフェストの写しの送付がない場合，または，返送されたマニフェストの写しに規定事項の記載がないあるいは虚偽の記載があるときは，速やかに当該感染性廃棄物の処理状況を把握し，適切な措置を講じる必要があります．

　なお，医療機関は前年度に交付したマニフェストに関する報告書を作成し，都道府県知事に提出しなければなりません．ただし，電子マニフェストを利用した場合には，**情報処理センター**が集計して都道府県知事に報告するため，その必要はありません．

（藤井一維）

7 廃棄物管理のための留意点

❶ 診療室

　歯科診療においては，使用する器材の種類が他の診療より特に多く，その**ディスポーザブル**化が困難です．診療中・診療後の廃棄物処理を容易に，安全に行うためには診療前の準備が重要となります．

1）診療前の準備

　まず，診療用テーブル上にディスポーザブルシートを敷き，診療器具による汚染の範囲を**ゾーニング**します．使用を予測し準備した後，診療後に廃棄する鋭利な器材とその数を術者とともに確認します．アシスタントサイドテーブルもディスポー

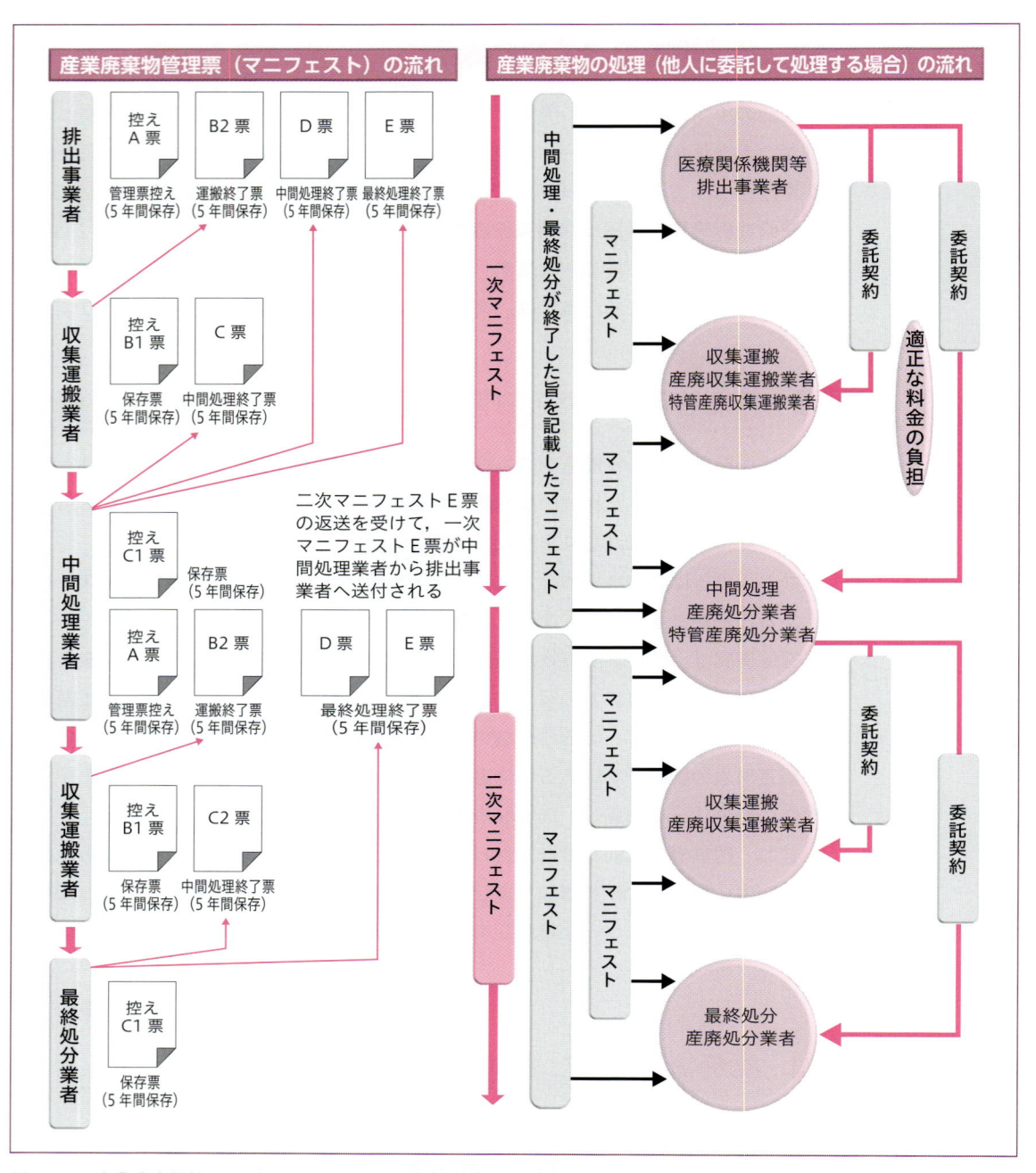

図 2-33 産業廃棄物管理票（マニフェスト）と産業廃棄物の処理の流れ
（環境省大臣官房廃棄物・リサイクル対策部：廃棄物処理法に基づく感染性廃棄物処理マニュアル．2012.[7] より）

ザブルシートによるゾーニングを行い，汚染してはならない材料はその枠外に配置します．患者には汚染する恐れのある範囲を紙エプロンで防護します．

2）診療中の管理

診療中に発生する感染性廃棄物はディスポーザブルシート内に留め，飛散や落下

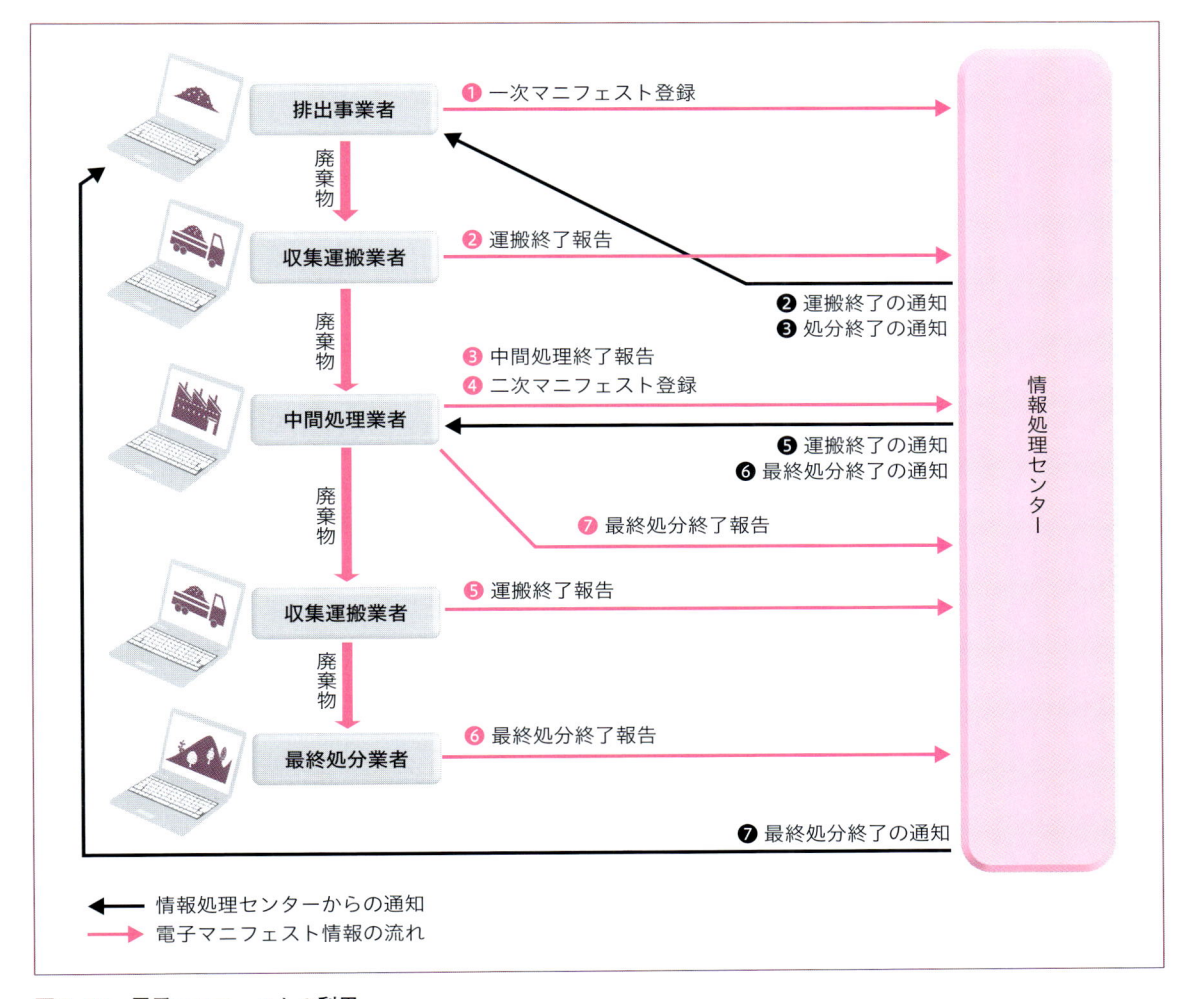

図 2-34　電子マニフェストの利用
電子マニフェストを利用した場合は，情報処理センターが集計して都道府県知事に報告を行います．
（環境省大臣官房廃棄物・リサイクル対策部：廃棄物処理法に基づく感染性廃棄物処理マニュアル．2012.[7] より）

のないよう注意します．使用中の器具になるべく接触しないことが望ましいでしょう．汚染原因となりうる術者用グローブを装着した手でゾーニング外を汚染しないよう，外回り介助者[*]の存在も有効です．

[*] 外回り介助者
介助者を二次的に補助する人のこと．

3）診療後の管理

　廃棄物は感染性廃棄物にかかわらず，安全性・確実性を期するために当該診療にかかわった者が処理することが望ましいため，廃棄物容器は1箇所にまとめるべきです．さらに，そこに至るまでの廃棄物の移動距離が長いことも汚染拡大の原因となりうるため，感染性廃棄物と明示した容器を診療ユニット内に設置しておきます．針，切削具などの危険な感染性廃棄物は専用容器を診療ユニット内に設置します．
　診療後，排出された廃棄物を分別しますが，ゾーニングされた中にある廃棄物は

すべて感染性廃棄物として処理する必要があります．なかでも前準備で確認した針や切削具など危険な廃棄物は数をカウントしてから専用容器に廃棄します．その他の感染性廃棄物は患者防護用紙エプロンとともにディスポーザブルシートで包み込み，所定の感染性廃棄物用容器に廃棄します．

使用後の患者うがい用紙コップに感染性廃棄物をまとめるのも良い方法です．

❷──待合室

待合室・受付・含嗽コーナーなど患者の出入りが頻繁な場所では，廃棄物の分類が困難であるため，すべて感染性廃棄物として処理します．また，診療室の中とは違い，常に観察することが難しい場所です．近年のCOVID-19による感染拡大防止のため，安全に環境を保つ手段が今までより多様化しています．頻繁な環境清拭は当然ながら，感染の原因となりうる飛沫の発生防止対策として，含嗽コーナーでの歯磨きやうがいの禁止，足踏み開閉式蓋付きタイプのゴミ箱の使用，また，清拭が容易なステンレス製の製品を選ぶことも必要です．なお，ゴミ箱はスタッフの目の届くところに設置することで，偶発的な周囲汚染に素早く対応できます．

（池田裕子，藤井一維）

8　歯科医院における感染性廃棄物管理業務の例

歯科医院は感染リスクのある廃棄物を排出する排出事業所です．したがって，歯科医院のあらゆる箇所から排出される廃棄物について，歯科医療知識が豊富ではない従事者でも廃棄の際に混乱しないようルールを明確にし，全従事者が自律的に判断行動できるようにすることが基本です．ここに示す例では，歯科医院の院長が特別管理産業廃棄物管理責任者を兼務しています．

❶──感染性廃棄物管理のマニュアルの作成および実践

特別管理廃棄物，産業廃棄物，一般廃棄物の廃棄箱に印を付け，配置場所を決めて，廃棄物の材質や性状，廃棄の場面ごとに廃棄手順を明文化しマニュアルを作成し，全従事者の廃棄物扱いの均質化を図ります（図2-35）．

特別管理産業廃棄物管理責任者は，従事者が混乱しないように廃棄場所に名称の記入やシール添付，清潔区域・不潔区域の区分線や他から離す場合の囲いをするなどして廃棄作業がしやすいように可視化を図り，廃棄袋の欠品や破損のないように廃棄袋の在庫を管理します．また，廃棄物処理の専門業者に処分委託するまでの一時保管場所は清掃を行って清潔にし，業者回収時は回収作業に立ち会います．

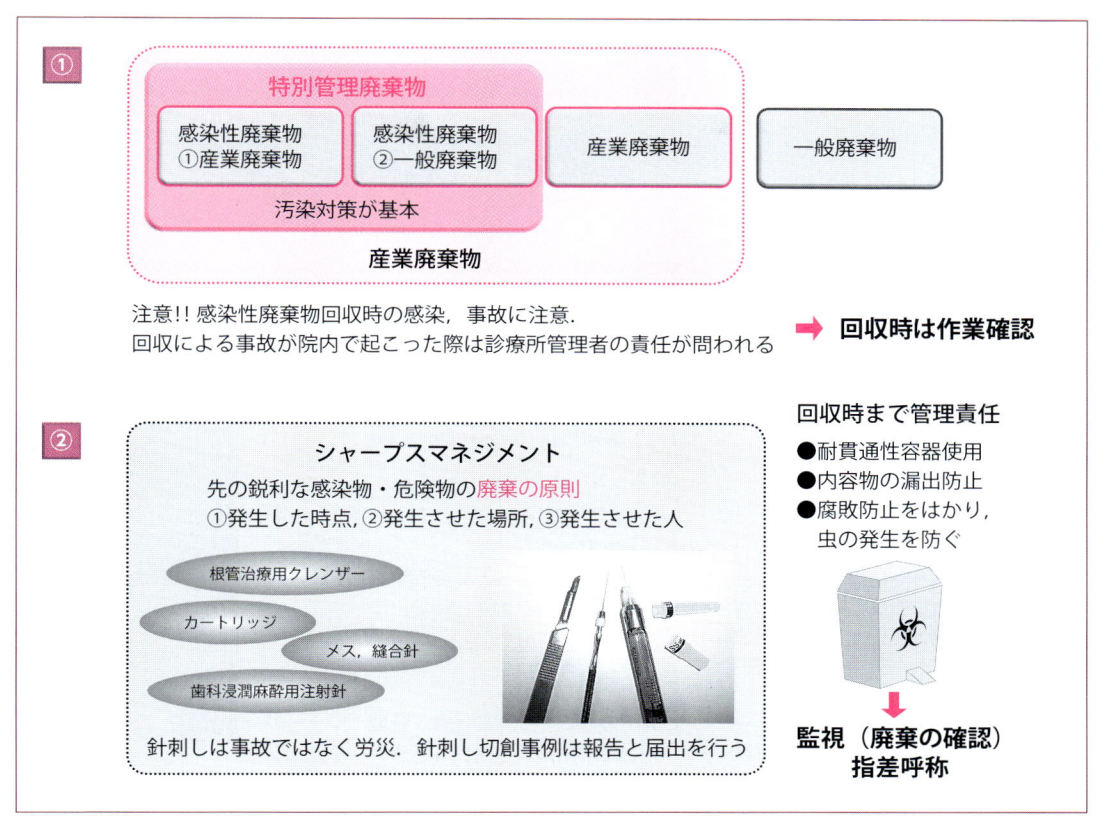

図2-35 歯科医院における感染性廃棄物管理のマニュアル例

❷ー感染性廃棄物処理における業者委託

　特別管理産業廃棄物管理責任者は，従事者とともに分別廃棄や管理を行う一方で，排出事業所として委託した処理業者の業務監視も行います．

　また，回収日時や回収者，排出物名や排出個数を記録し，マニフェストの内容と合っているかを確認します．この記録から，処理業者に委託する間隔を決めていきます（図2-36）．

❸ー感染性廃棄物管理に関する研修

　特別管理産業廃棄物管理責任者は，歯科医院内で危険度の高い廃棄物についてできるだけ具体的に，①実際に使用する材料や性質を示し，②排出される場面，③いつ，誰が，何を出すかなどを整理して明確になるよう研修を行います．

（五十嵐博恵）

きちんと分別をして出した上でも，もし委託をした業者が不法投棄したら……

不法投棄

業者に処理依頼した医療機関が責任を問われる

マニフェストによって守られる

医療機関の社会的信頼

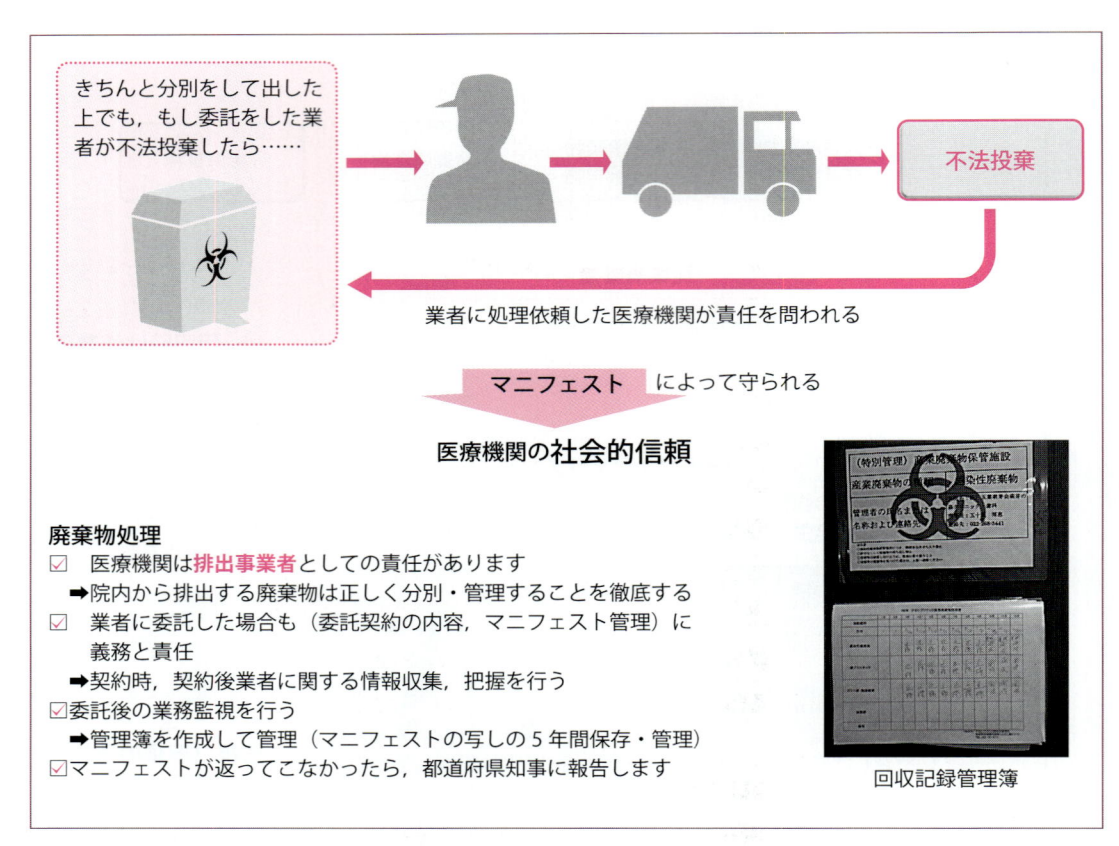

廃棄物処理
- ☑ 医療機関は**排出事業者**としての責任があります
  ➡ 院内から排出する廃棄物は正しく分別・管理することを徹底する
- ☑ 業者に委託した場合も（委託契約の内容，マニフェスト管理）に義務と責任
  ➡ 契約時，契約後業者に関する情報収集，把握を行う
- ☑ 委託後の業務監視を行う
  ➡ 管理簿を作成して管理（マニフェストの写しの5年間保存・管理）
- ☑ マニフェストが返ってこなかったら，都道府県知事に報告します

回収記録管理簿

図 2-36　感染性廃棄物処理におけるマニフェストと業者委託

9　病院における感染性廃棄物管理の留意点

　医療機関から排出される医療廃棄物のうち，感染性廃棄物が占める割合は64％を占め，その75％は病院から排出されるとされています[8]．

　病院においては，発生量の多さとともに，感染性廃棄物処理に携わる人員と廃棄物の発生する場所が多いことが問題となります．廃棄物処理のコスト負担増大は，医療機関のなかでも病院において特に問題視されるところです．感染性廃棄物処理の留意すべき点については，前述したとおりですが，ここでは入院患者に関する廃棄物で特に注意すべきポイントを述べます．

　周術期患者への口腔衛生管理実施などで歯科衛生士が病棟，特にベッドサイドで患者と対面する機会が多くなってきています．病室は療養のみならず食事や睡眠など生活の場でもあるため，歯科衛生士が行った処置後に，感染性廃棄物による汚染が拡大することは許されません．

　また，入院患者は易感染性であると認識し，外来で着用した予防衣やエプロンは

外して病床に伺うべきです．

❶――準備

処置のための器材とディスポーザブルシート，個人用防護具（PPE）を病室に持ち込みますが，病室から持ち帰る感染性廃棄物が少なくて済むように考慮し，ビニール袋などで覆った状態で入室します．

PPEを装着すると同時に，フリーハンドでライティングするために，ゴーグルに装着するライトもベッドサイドでの処置に有効です．

❷――口腔衛生管理中

患者には防護用エプロンを装着します．術中発生する超音波スケーラーの噴霧や唾液などの飛散防止のために，ベッドサイドに簡易型吸引器があれば，積極的に利用しましょう．簡易型吸引器に接続可能な吸引付スポンジブラシや吸引ブラシも製品化されており，主に口腔衛生管理時には有効です．

❸――口腔衛生管理後

廃棄可能な物品は，処理用ビニール袋や危険物廃棄容器に直ちに処理します．患者防護用エプロンとPPEも同様に廃棄します．複数の病床に赴く場合は，すべての廃棄物を処理後，PPEを新たに装着し，ケアを行います．

病院においては，歯科衛生士がかかわる部署が多いことに加え，廃棄物の種類の多さも処理を困難にする原因となっています．各々の施設独自の廃棄物分別表を作成し，感染性廃棄物を的確に認識することを容易にすることも重要です．

（池田裕子，藤井一維）

Ⅵ　歯科訪問診療時の廃棄物管理

1　歯科訪問診療時の廃棄物とは

歯科訪問診療の際に，患家または施設等の訪問先で発生するゴミ（廃棄物）は，すべて医療に付随するものです．

廃棄物処理法により，廃棄物は産業廃棄物と一般廃棄物に大別されます．廃棄物は，原則的に発生する場所で異なることから，歯科訪問診療による医療廃棄物は，在宅医療に関わる医療処置に伴い家庭から排出される廃棄物を指し，一般廃棄物に分類されます（p.61参照）．したがって，訪問診療による廃棄物は廃棄物処理法第6条の2第1項の規定に基づき，処理責任を市町村が負うこととなります．しか

し，その処理対応は市町村で異なることや，より安全な対応として，訪問した医療施設が持ち帰ることをお勧めします．

2 歯科訪問診療時の感染性廃棄物管理

廃棄物を減らすことは，歯科訪問診療の合理化とともに安全な診療にもつながります．

具体的には，処置内容ごとに必要器材をまとめた状態でパッキングし，滅菌することで，診療後の器具確認が確実になり，過不足が減ることになります．器具を入れた診療用バットをディスポーザブル滅菌ラップでパッキングし，滅菌しておきます．また，診療時に広げた滅菌ラップを診療スペースとして確保すると，感染性廃棄物による他への汚染を防ぐことができます（図 2-37）．この方法は一例に過ぎませんが，ここでは診療時に訪問先で発生した感染性廃棄物の処理について，処置内容別に述べていきます．

❶ 義歯調整・修理時

義歯調整・修理は，歯科訪問診療で多く実施されます．義歯を削合・研磨した際に切削片の飛散が問題となるため，技工用エンジンの使用時は，術者の手首から先をビニール袋に入れた状態で行う工夫をします（図 2-38A）．切削片が袋から出ないよう，大きめのビニール袋を使用するとよいでしょう．操作中にビニール袋外に手や技工物を出す場合には，切削片をエリアから持ち出さないようにウエットティッシュなどで義歯や術者の手指を拭い，ビニール袋内に落とします（図 2-38B）．

飛散防止の専用容器も市販されていますが（図 2-39），操作における注意点は同じです．義歯関連処置で未重合のレジンが残った場合などは，飛散や他物質の変成を防ぐため，重合させてから廃棄します．

❷ 歯内治療時

歯内治療では，使用する器材が多いため，診療前にバット内の器材の内容と数を必ず確認します．ガーゼ・綿花類で隠れた微細な器具の誤廃棄や針刺し事故が起こらないよう注意します．診療では，ブローチ，局所麻酔用針，カートリッジなど鋭利で危険な感染性廃棄物が発生するため，専用廃棄容器を持参し，使用後は直ちに廃棄します．廃棄は診療に関わった者が必ず行い，複数人で声掛けをしながら，診療前と過不足がないかダブルチェックを行います．

❸ 外科処置時

観血処置時には，針やメスなど危険な廃棄物が発生するほかガーゼ類の使用量も

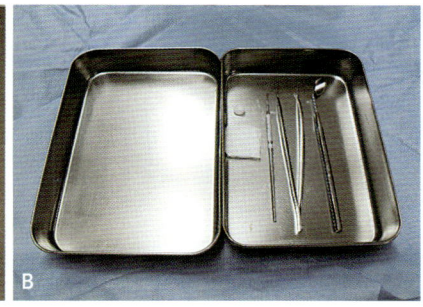

図 2-37　訪問診療時の診療セット
A：パッキング，B：訪問診療用セットを開封後，シートでゾーニングする．

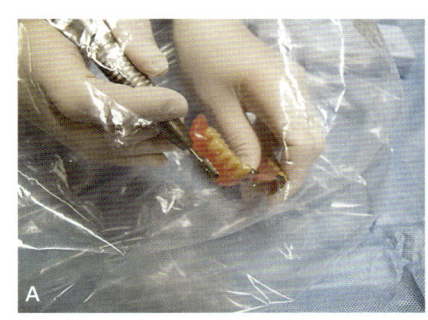

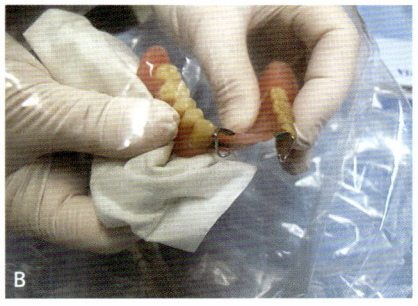

図 2-38　義歯調整・修理時の様子
A：歯科技工用エンジン使用時は，ビニール内で切削し，粉塵を外に出さないようにする．
B：ビニール内で切削片をウエットティッシュで清拭する．

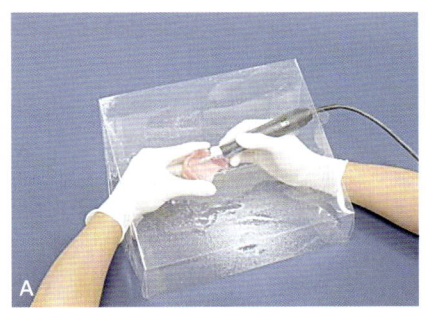

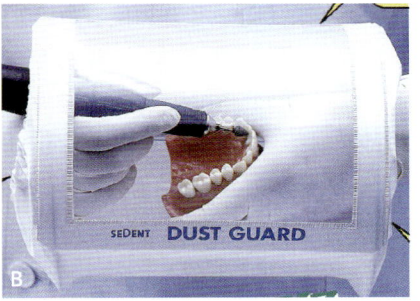

図 2-39　飛散防止用の専用容器
A：クリーンボックス，B：ダストガード®（株式会社セキムラ）

多く，診療用器具と廃棄物が交差しやすくなっています．ガーゼなどの感染性廃棄物は，直ちに処理用ビニール袋に廃棄します．危険な廃棄物は，処置後，数量の確認が必要であるため，診療エリア内にわかりやすく留め置きます．処置後，確認する抜去歯や組織も同様です．すべて確認した後，危険な廃棄物は専用容器に廃棄します．

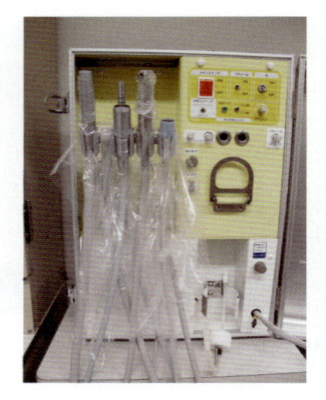

図 2-40　歯科訪問診療用器具のホースカバー
ホースをビニールで覆ってガードする．

❹——口腔衛生管理時

　口腔衛生管理では，歯ブラシのほか清掃補助用具やスポンジブラシを使用しますが，ディスポーザブル製品は，使用後直ちに廃棄するのが原則です．また，移動中に廃棄用ビニール袋を破損し，汚染を招かないように十分注意します．

❺——その他

　必要な器材を，診療バット内に入れた状態で滅菌することで廃棄物の排出を減らしても，追加器具の使用により滅菌バッグ等の一般ごみも発生します．一般ごみは感染性廃棄物とは分けて持ち帰ります．
　近年，歯科訪問診療に特化した診療器具が次々製品化されています．ポータブルユニットもその1つであり，種類も各種ありますが，それぞれに示されている使用方法，後処理方法に則り使用します．また，その際はタービン，超音波スケーラー，サクション*ホースなどを汚染しないためにチューブタイプのビニールで覆うことが望ましく（図2-40），使用後取り外したビニールは，感染性廃棄物として処理します．感染性廃棄物は持ち帰りが原則ですが，サクションタンクの廃液は移動中の汚染を考慮し，訪問先で廃棄させていただくほうが安全といえます．チューブタイプのビニールは，切削用具のホースだけでなく診療後の消毒が困難な器具の防護のために種々使用されます．ポータブルエックス線撮影装置の口腔内端子やシリコーン印象材用のガンタイプミキサーは，ビニールで覆うことで事後処理が容易になりますが，診療後はほかを汚染することなく除去し，感染性廃棄物として処理します．そして，歯科訪問診療から帰院し，各種廃棄物をそれぞれ適切な容器に廃棄し終了となります．

❻——移動時の配慮

　主に自家用車で歯科訪問診療を行う場合は，車内での廃棄物の管理については，許容量が比較的ありますので，あまり気にする必要はありません．しかし，都心部

*サクション
歯科用口腔内吸引装置のこと．

での移動で公共交通機関を利用する場合，持ち運びにより感染性廃棄物を収めたビニール袋が破損する可能性もあります．したがって，公共交通機関で移動の際は，プラスチック製小型密閉容器などを使用するとよいでしょう．

（池田裕子／藤井一維）

参考文献

1) 小林寛伊監訳：歯科医療現場における感染制御のためのCDCガイドライン．MCメディカ出版，2004．
2) 小林寛伊編集：新版 消毒と滅菌のガイドライン．へるす出版，2011．引用一部改変
3) 国公立大学附属病院感染対策協議会編：病院感染対策ガイドライン 改訂版．じほう，2012．
4) 大久保憲監修：消毒薬テキスト 第4版．吉田製薬，2012．
5) 公益財団法人「労働科学研究所」の支援事業の一環として2012年11月27日日本感染症学会平成23年度院内感染対策講習会（仙台）の講演配付資料「針刺しによる医療事業者の職業感染と患者への院内感染防止の課題と対策」jrgoicp.umin.ac.jp/activity/zeroday/ 吉川 徹 20130716.pdf 職業感染制御研究会 報告者吉川 徹から抜粋
6) 一般社団法人日本医療機器学会：医療現場における滅菌保証のガイドライン2021．
7) 環境省大臣官房廃棄物・リサイクル対策部：廃棄物処理法に基づく感染性廃棄物処理マニュアル．2012．
8) 本城 充，大山峯吉，福村圭介，古謝 隆，池間次郎，安里 健：医療廃棄物アンケート調査に関する統計学的解析．沖縄県公害衛生研究所報．26：97-104．1992．

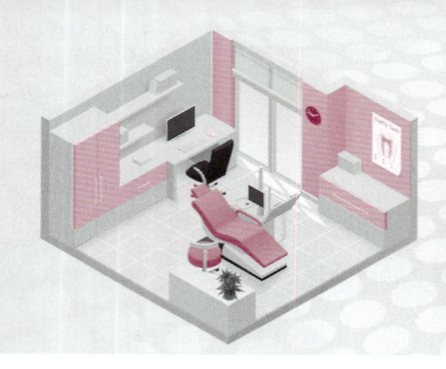

CHAPTER 3
歯科医師によるその他の医療安全管理を知っておこう

本章では主に歯科医師が歯科医院を安全に管理するために行う必要事項を中心に説明します．

I　施設管理

歯科医院の施設・設備を管理することは，患者や従事者の安全性の確保や環境維持の面から大変重要な事項です．院内での転倒事故から設備不備による事故などもすべて施設管理者の責任となるため，院長は歯科医院の役割・機能に応じた施設・設備の適切な保守管理のもとに整備する必要があります．

多くの歯科医院では，病院と異なり限られた人数の従事者で多くの業務を行う必要があります．そのような条件下でしっかりとした院内の安全に取り組むためには，常日頃より**事故予防策**を講じておく必要があります．また，危機的な事態や事故が生じた際の具体的な対策方法を検討しておかなければなりません．さらに，職場を熟知していない人が何らかの理由で院内に立ち入ったり，診療に関与する場合でも，安全であるように，できるだけ**危険の可視化**を図るとともに，リスクを見越して，全体として歯科医院本来の診療機能が失われないようなシステムづくりを行う必要があります．

院長は，施設管理に関して下記のチェックポイントに留意しますが，医療安全に関する管理責任者となった歯科衛生士は，関連項目を院長の指示のもとに**点検**することも必要です．

【施設管理に係るチェックポイント】

1. 施設・設備の維持管理と安全性の向上に努める．
2. 作業の誤りを防ぐために，作業台の広さ，作業空間，採光等を適切にする．
3. 院内の清潔保持に努める．
4. 清潔域と不潔域の区別を行う．
5. 医療廃棄物の処理を適正に行う．
6. 廊下・階段・床に障害物や水など，転倒を誘発するものを置かない．
7. 歯科医院内・敷地内を禁煙とする．

8. 危険箇所の抽出を行う．
9. 各担当部門による危険箇所に対する検討を行う．
10. 医療機器作業時や操作時の危険性に対する検討を行う．
11. 注射針・メス等の鋭利器具の処分法の確認を行う．
12. 指差し確認等の実施する．
13. 職場安全マニュアルを作成する．
14. 歯科医院敷地内や広告看板などの破損による事故が起こらないようにそれら構造物に対して定期的に安全確認を行う．

参考：医療法第20条

第20条　病院，診療所又は助産所は，清潔を保持するものとし，その構造設備は，衛生上，防火上及保安上安全と認められるようなものでなければならない．

第23条　前3条に定めるもののほか，病院，診療所又は助産所の構造設備について，換気，採光，照明，防湿，保安，避難及び清潔その他衛生上遺憾のないように必要な基準を厚生労働省令で定める．

II 労務管理

　開業した歯科医師は，歯科医院の開設者や管理者になると同時に，職員の管理者となります．職員を1人でも採用すると，その時点からの労務管理も行う必要性が生じます．歯科医院を安全に管理し，患者の安全を確保するためには，歯科医院の施設，設備の管理も必要ですが最も大事なのはそこで働く職員が能力を十分に発揮することです．したがって，歯科医院の管理者は，人的資源である職員が能力を発揮しやすい環境を整備する必要があります．そのためには，労働条件の整備を行い，**労働関連法規を遵守する環境を整える**ことが大切です．

　これが労務管理の目的ですが，具体的にはまず適性のある人材の採用から始まり，労働条件の明示，適材適所への配置，職務遂行能力を開発するための研修，教育，仕事の評価に基づく処遇などです．さらに，院長は従事者に対して定期的な健康診断を行い，**従事者の健康管理に留意する**必要があります．

（中村勝文）

Ⅲ　防災管理

1　防火管理

　歯科診療所は，専用敷地に建築されているもの，事務所用ビルのテナント，また，ショッピングモールの店舗などさまざまありますが，いずれにしろ火災の発生は避けなければなりません．そのためには，防火の知識はもちろんのこと，万が一の火災時における初期消火と避難等の訓練が必要です．

　防火については，消防法で示されている**防火管理者**の選任が必須ですが，消防署に問い合わせをすることが望まれます．防火管理者とは，多数の者が利用する建物などの「火災等による被害」を防止するため，防火管理に係る消防計画を作成し，防火管理上必要な業務（防火管理業務）を計画的に行う責任者をいいます．講習受講と資格取得が必要ですが，地域によって開催実施者が異なりますので消防署へ問い合わせをしてください．

　詳細は（一財）日本防火・防災協会のホームページ（https://www.n-bouka.or.jp）を参照ください．

　歯科衛生士，スタッフは日々ガスなどの元栓のチェック，電気コンセント周りの清掃など点検が必要です．また，患者避難・誘導の訓練の実施，避難路の安全確認，消火器の有効期限の確認など率先して行ってください．

2　地震等防災管理

　南海トラフ沿いの大規模地震（M8～M9クラス）は，今後30年以内に発生する確率が70～80％であり，昭和東南海地震・昭和南海地震の発生からすでに70年以上が経過していることから切迫性の高い状態です（令和5年1月，気象庁ホームページ）．

　歯科診療所において診療中に大規模な地震が発生した場合，どのような行動をとるべきか，院長を中心にスタッフ全員で話し合い，情報共有しておく必要があります．大きな揺れに伴って，棚，冷蔵庫，家具，パソコンのモニターなどが激しく上下左右に揺れ，さらに書籍やビン類，診療用物品が落下し，ガラスなどの破片が散乱する可能性もあります．室内の整理整頓はもとより，家具などの転倒防止対策を講じることが必要です．

　まずはスタッフと患者の安全を第一に，揺れが収まるまでの待機場所の確保，避難所への案内などをあらかじめ確認しておきましょう．

　また，正しい最新情報の入手については携帯電話やパソコンのインターネット，テレビなどを利用することになりますが，停電，あるいは通信状況が悪くなりイン

ターネットに繋がらない可能性もあります．そこで乾電池式のラジオを1つ用意しておくことをおすすめします．加えて，乾電池式の懐中電灯や，場合によってはロウソク（マッチなどの着火具含め）なども備えておくと安心でしょう．

特に津波による被害は甚大です．津波情報の収集をしっかりと行い，ためらわずに避難して下さい．避難場所はあらかじめ確認しておき，実際に歩いて避難の練習を行ってみてください．

都市部では，公共交通機関の停止による影響が非常に大きいことを2011年の東日本大震災で経験しています．帰宅困難者が集中することでターミナル駅周辺，道路は大混雑し，特に高齢者や子ども，障害者は非常に危険です．車の大渋滞も深刻です．トイレの利用と水分補給，食料の確保など困難なことも多発します．そのため，すぐに帰宅するのではなく，公共の避難所や自社，避難設備のあるビルなどを利用して過ごし，徐々に帰宅することが提唱されています．各自治体のホームページから情報を得ることが有用です．

また，近年は線状降水帯による記録的大雨の影響で，土砂災害の危険性も多くなっています．広島豪雨（2014年，死者77人），九州北部豪雨（2017年，死者42名），令和3年8月大雨（2021年，死者13名），熱海市伊豆山土石流災害（2021年，死者27名）などは記憶に新しいところです．

早めの避難と地域自治体によるハザードマップを事前に確認しておくことが「**命を守る行動**」につながります．

地震や津波，大雨，竜巻，避難関連など防災情報は気象庁ホームページにおいて随時更新されています．さまざまな災害に対する平常時からのあらゆる備えが必要です．

（福澤洋一）

災害時の備え

COLUMN 9

■災害用伝言ダイヤル

＊録音／再生のダイヤル方法

- 録音：１７１-１自宅電話番号（市外局番からダイヤル）
- 再生：１７１-２自宅電話番号（市外局番からダイヤル）

＊サービスの開始時期

　地震等の災害発生時に，被災地の方の安否を気遣う電話が増加し，被災地への通話がつながりにくい状況になった場合，速やかにサービスを提供します．

＊利用できる電話

　災害用伝言ダイヤルがご利用可能な電話は，加入電話，INSネット，公衆電話，ひかり電話および，災害時にNTTが避難所などに設置する特設公衆電話になります．携帯電話，PHSからも利用できますが，詳しくは契約されている通信事業者へご確認をお願いします．

＊伝言録音時間，伝言保存時間，伝言蓄積数

- 伝言録音時間／1伝言あたり30秒以内
- 伝言保存時間／録音してから48時間（体験利用時は6時間）
- 伝言蓄積数／電話番号あたり1～10伝言（提供時にお知らせします）

■地震　その時10のポイント

＊大きく揺れた時の行動

1. 大きく揺れを感じたら，まず身の安全を図り，揺れが収まるまで様子をみる．

＊地震時および直後の行動

2. すばやい消火，火の始末（火を消す3度のチャンス）
   - 小さな揺れを感じた時
   - 大きな揺れが収まった時
   - 出火した時
3. 慌てた行動　けがのもと
   家屋で転倒，落下した家具類やガラスの破片などに注意する．
4. 窓や戸を開け　出口を確保
   小さな揺れの時または揺れが収まった時に避難できるよう出口を確保する．
5. 落下物　慌てて外に飛び出さない．
   瓦，窓ガラス，看板などが落ちてくるので注意する．
6. 門や塀には近寄らない．

＊地震後の行動

7. 正しい情報　確かな行動
   ラジオやテレビ，消防署，行政などから正しい情報を得る．
8. 確かめ合おう　わが家の安全　隣の安否
9. 協力し合って救出，救護
10. 避難の前に安全確認　電気，ガス

（大規模災害対応マニュアル：大分県歯科医師会　平成24年3月1日発行[2] より）

CHAPTER 3 歯科医師によるその他の医療安全管理を知っておこう

COLUMN 10 地震に対する10の備え

1. 家具類の転倒,落下防止をしておこう

- 家具やテレビ,パソコンなどを固定し,転倒や落下防止措置をしておく.
- 避難に支障がないように家具を配置しておく.

2. けがの防止対策をしておこう

- 避難に備えてスリッパやスニーカーなどを準備しておく.
- 停電に備えて懐中電灯をすぐに使える場所においておく.
- 食器棚や窓ガラスなどには,ガラスの飛散防

〈大規模災害時の被災会員の行動フロー〉

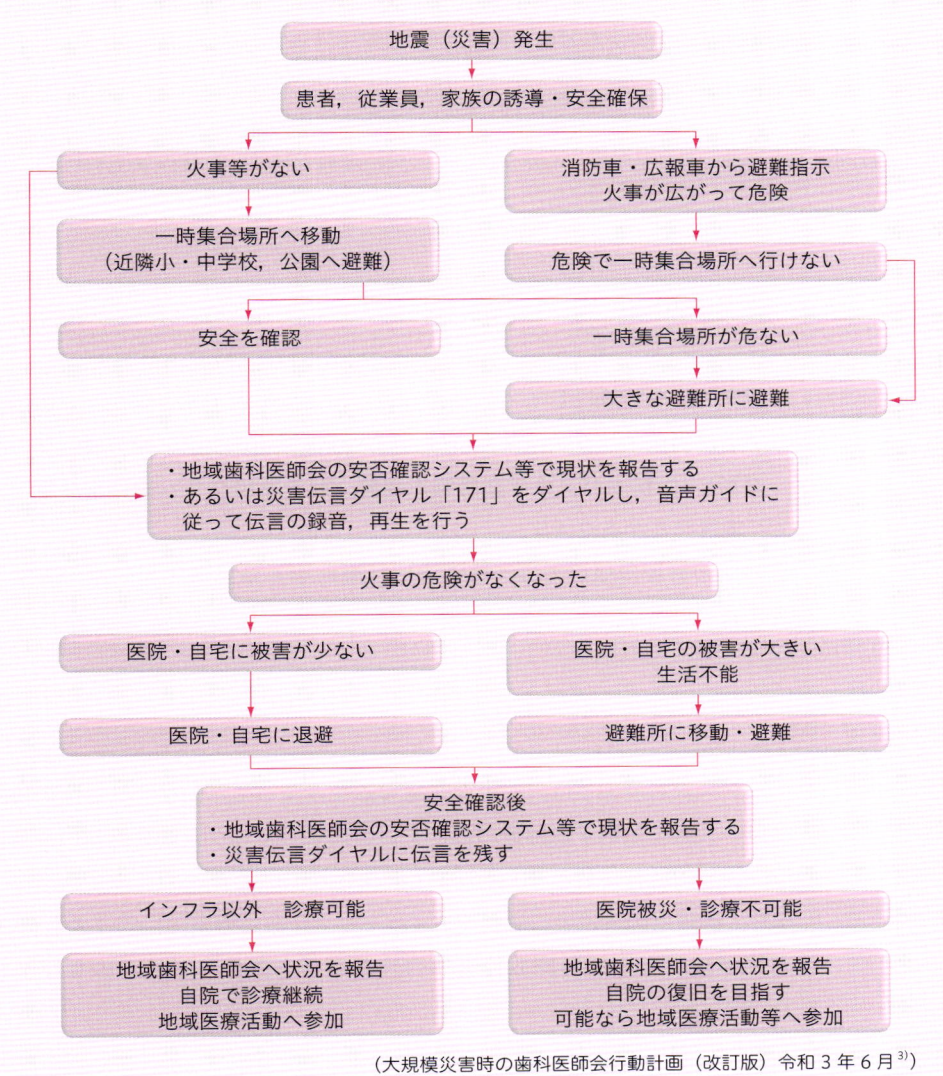

```
地震（災害）発生
    ↓
患者,従業員,家族の誘導・安全確保
    ↓
┌─────────────────┬─────────────────┐
火事等がない          消防車・広報車から避難指示
                    火事が広がって危険
    ↓                   ↓
一時集合場所へ移動    危険で一時集合場所へ行けない
（近隣小・中学校,
 公園へ避難）
    ↓                   ↓
安全を確認            一時集合場所が危ない
                        ↓
                    大きな避難所に避難
                        ↓
・地域歯科医師会の安否確認システム等で現状を報告する
・あるいは災害伝言ダイヤル「171」をダイヤルし,音声ガイドに
  従って伝言の録音,再生を行う
    ↓
火事の危険がなくなった
    ↓
┌─────────────────┬─────────────────┐
医院・自宅に被害が少ない    医院・自宅の被害が大きい
                          生活不能
    ↓                       ↓
医院・自宅に退避          避難所に移動・避難
    └─────────┬─────────┘
              ↓
        安全確認後
・地域歯科医師会の安否確認システム等で現状を報告する
・災害伝言ダイヤルに伝言を残す
              ↓
┌─────────────────┬─────────────────┐
インフラ以外 診療可能      医院被災・診療不可能
    ↓                       ↓
地域歯科医師会へ状況を報告  地域歯科医師会へ状況を報告
自院で診療継続            自院の復旧を目指す
地域医療活動へ参加         可能なら地域医療活動等へ参加
```

(大規模災害時の歯科医師会行動計画（改訂版）令和3年6月[3])

止措置をしておく．
3. 家屋や塀の強度を確認しておこう
   ・家屋の耐震診断を受け，必要な補強をしておく．
   ・塀も倒れないように補強しておく．
4. 消火の備えをしておこう
   ・火の始末をする習慣をつけておく．
   ・火災の発生に備えて消火器の準備や風呂の水の汲み置きをしておく．
5. 火災発生の防止対策をしておこう
   ・普段使用しない電気器具は，差込プラグをコンセントから抜いておく．
   ・感電ブレーカー，感電コンセントなどの防災機器を設置しておく．
6. 非常用品を備えておこう
   ・非常用品は，置く場所を決めて準備しておく．
7. 家族で話し合っておこう
   ・家族が離れ離れになった場合の安否確認の方法や集合場所などを決めておく．
   ・避難場所や避難経路を確認しておく．
   ・隣近所との協力体制を話し合っておく．
8. 防災環境を把握しておこう
   ・自分の住む地域の地域危険度を確認しておく．
   ・防災マップをつくっておく．
9. 過去の地震の教訓を学んでおこう
   ・新聞，テレビ，ラジオ，インターネットなどから防災の知識を身につけておく．
10. 知識，技術を身につけておこう
    ・日頃から防災訓練に参加して，身体防護，出火防止，初期消火，救出，応急救護，通報連絡，避難要領などを身につけておく．

Ⅳ　放射線管理

　診療室の安全管理にとって放射線管理も重要な事項です．現在，一般的に用いられている歯科用エックス線装置には，口内法撮影用エックス線装置（いわゆるデンタル撮影），歯科用パノラマ断層撮影装置，セファログラム撮影用装置，エックス線 CT 装置などがあります．

　放射線の管理については，医療法施行規則第 4 章診療用放射線の防護で詳しく規定されています．

1　エックス線診療室

　エックス線診療室とは，エックス線装置を設置して診断または治療の目的で患者にエックス線を照射する部屋のことをいいます．エックス線診療室の構造上の規定等は，医療法施行規則第 30 条の 4 で規定されています．

　また，診療所の管理者の義務として，エックス線診療室の目につきやすい場所に，放射線障害防止や放射線取扱者への注意事項を掲示しなければなりません（図 3-1～3）．

X線検査を受けられる方へ
1. 指示があるまで入室しないでください
2. X線室内では係員の指示に従ってください
3. 機械器具には手を触れないでください
4. 妊娠またはその疑いのある方は申し出てください
5. わからない点はスタッフにお聞きください

図 3-1　患者への文書例

放射線取扱従事者心得
1. 個人被曝線量測定器（ガラスバッジ等）は必ず着用すること
2. X線を人体に照射する際は必要最小限にとどめること
3. X線照射中は"使用中"のランプを点けること
4. 撮影室内に無用の者を入らせないこと
5. X線を照射したら照射録に記入すること
6. 定期的な点検を行うこと
7. 年2回の漏洩測定を行うこと
8. 健康診断は規定に基づき定期的に受診すること

図 3-2　放射線取扱者への文書例

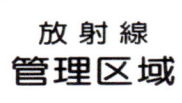

図 3-3　エックス線診療室掲示例

2　エックス線装置の管理

　院長は，医療施行規則第30条の21にて，治療に使用する放射線照射装置について，その放射線量を6カ月を超えない期間ごとに1回以上線量計で計測し，その結果に関する記録を **5年間保存** しなければならないと規定されています．その記録簿は，保健所の立ち入り検査時に提示を求められます．

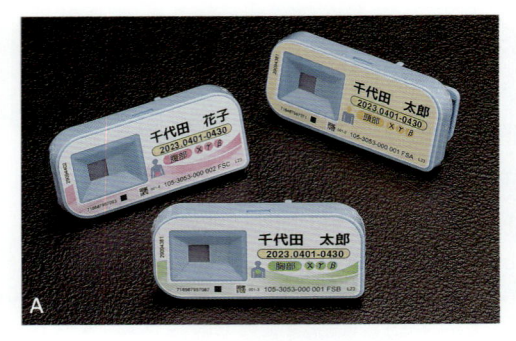

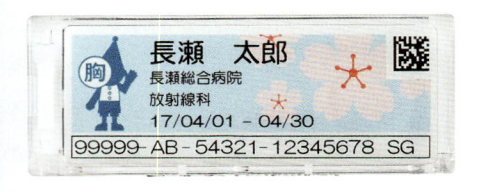

図 3-4　個人モニタリング用線量計の例
A：ガラスバッジ（蛍光ガラス線量計），B：ルミネスバッジ（光刺激ルミネセンス線量計）．
（A：株式会社千代田テクノル提供，B：長瀬ランダウア株式会社提供）

3　放射線の防護

　日常診療において歯科医師は，検査のためにエックス線撮影を行うので，放射線防護についても十分な安全対策が必要です．

❶—患者の防護

　歯科医師は，検査または治療による放射線被曝による損害に対して十分な利益がもたらされる場合でなければ，患者に放射線被曝を伴う行為を行ってはなりません．エックス線撮影時には，高感度フィルムの使用，再撮影の防止，適切な現像処理などの防護措置をとる必要があります．放射線防護エプロンの防護効果は限定的と考えられていますが，患者の安心のために広く用いられている方法の1つです．

❷—放射線従事者の防護

　診療において放射線の照射を行える者は，医師・歯科医師・放射線技師だけです．歯科衛生士は，患者の口腔内にフィルムを設置することは業務範囲内ですが，放射線を照射することはできません．なお，放射線診療従事者の被曝防止については，医療法施行規則第30条の18に規定されています．

❸—個人モニター

　個人線量計は，放射線を測定するためのもので，個人モニター放射線検出子とケースから構成されていて，一般的にはガラスバッジやルミネスバッジなどがあります（図3-4）．男性は胸部，女性は腹部に，防護衣を着用の場合は防護衣の中に着用します．

4　在宅歯科医療における放射線管理

　在宅医療におけるエックス線撮影は，エックス線診療室への移動ができない場合に限り，特例として認められています．寝たきりや意思疎通困難者などで撮影に必要な体位の保持や確保が難しく，固定撮影ができないケースでは，手持ち撮影が行われることもあります．こうした際は患者だけでなく，撮影者および診療スタッフや患者の家族，介護者等への被曝についても配慮しなければなりません．歯科訪問診療におけるエックス線撮影の具体的な防護手段を以下に示します．

①エックス線診療室と同様に個人線量計を着用する．
②原則的にはエックス線照射器を固定し，撮影を行う．
③ケーブルスイッチやワイヤレススイッチを使用し，患者以外の者はエックス線照射器から2m以上離れる．
④手持ち撮影を行う場合は，撮影者は防護エプロンを着用する．
⑤撮影に介助が必要な場合は，介助者は防護エプロンおよび防護グローブを着用し，できるだけ照射線上から外れる．

　なお，手持ち撮影については，2022年時点で国は明確な指針を出していませんが，撮影者の防護の点から積極的に推奨されるものではなく，日本歯科放射線学会は以下のような撮影条件の指針を示しています．

携帯型口内法X線装置による手持ち撮影のためのガイドライン（日本歯科放射線学会ガイドライン，2017）

①医療機関のエックス線診療室内で特別な介助が不要な患者に対して行われる日常的な撮影ではない．
②訪問診療で撮影が必要になったが，医療機関を受診しての治療の必要性は明らかになっていない．または，医療機関での診療中に撮影が必要になったが，エックス線診療室に移動して撮影できない．あるいは，エックス線診療室への移動は可能であるが，据置型装置を使用しての撮影が困難である．
③移動型装置での撮影，または携帯型装置を固定しての撮影ができない．

（外山敦史）

V　院内掲示管理

　院内掲示は，医療法，個人情報保護法，保険医療療養担当規則や介護保険法などの法令や規定に定められていますが，患者へ最低限の周知義務を果たすだけでなく，医療安全の立場からも重要です．歯科衛生士も院内に掲示されているものについては，十分に理解しておく必要があります．

診療室で掲示すべきものは，次のように分類され，掲示方法は，診療所の入口，受付または待合室付近の見やすい場所に掲示しなければなりません．

1　医療法に基づく掲示物

医療法第14条の2では，院内掲示に関し，以下のような規定が設けられています．

医療法　第14条の2

> 病院又は診療所の管理者は，厚生労働省令の定めるところにより，当該病院又は診療所に関し次に掲げる事項を当該病院又は診療所内に見やすいよう掲示しなければならない．
> 一　管理者の氏名
> 二　診療に従事する医師又は歯科医師の氏名
> 三　医師又は歯科医師の診療日及び診療時間
> 四　前三号に掲げるもののほか，厚生労働省令で定める事項

診療に従事する歯科医師が複数存在する場合は，すべての歯科医師の氏名，ならびにその歯科医師の診療日及び診療時間等を掲示しなければなりません．

四の事項として，放射線室の入口付近に放射線管理区域表示および注意事項の掲示が必要です（医療法施行規則第30条の13）．

また，病院の場合に限り，建物の内部に関する案内を掲示しなければなりません（医療法施行規則第9条の4）．

2　個人情報保護法に基づく掲示物

従来，歯科医師は刑法（第134条第1項）で守秘義務が課せられ，法令を遵守することで患者の個人情報を守ってきました．また，歯科衛生士には，歯科衛生士法第13条の5により**守秘義務**が課せられています．さらに歯科医院の経営者，管理責任者としての歯科医師は，**個人情報の保護に関する法律〈個人情報保護法〉**の遵守が求められ，厚生労働省は「厚生労働分野における個人情報の適切な取り扱いのためのガイドライン等」を示しています．また，医療従事者にも同様に個人情報の保護が求められています．

掲示物に記載しておく項目として下記のものがあげられます．

❶―個人情報保護方針
（1）歯科医院の個人情報取り扱いに関する理念
（2）個人情報保護法，関連法令の遵守と確認

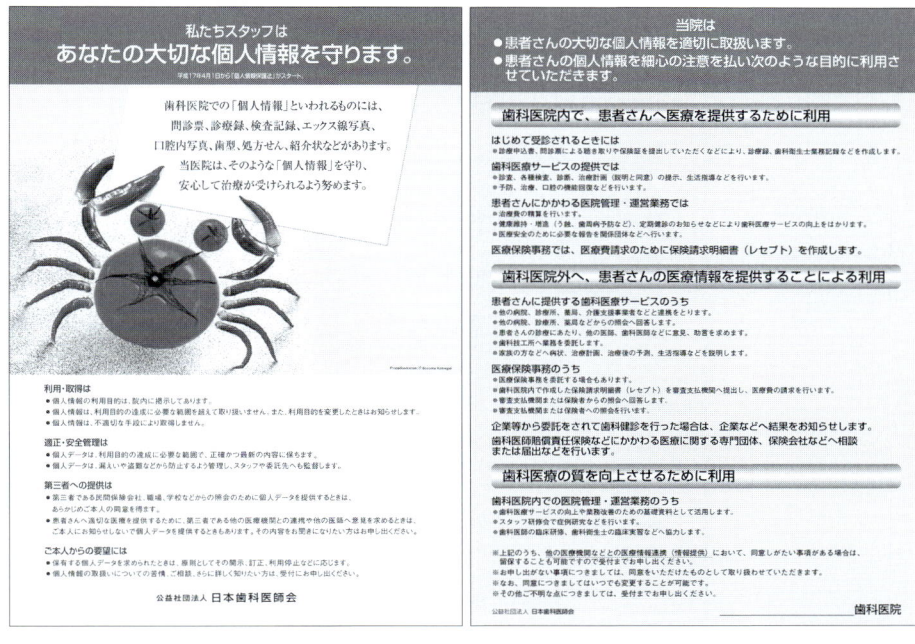

図 3-5　個人情報の利用目的ポスター例

(3) 利用目的の通知
(4) 第三者への提供
(5) 個人情報の安全管理措置
(6) 苦情相談への対応

❷―個人情報の利用目的

　利用目的にはさまざまなものが考えられます．日本歯科医師会では，次の3つに大別し，それぞれ具体例をあげてポスターにまとめ，院内に掲示するように指導しています（図 3-5）．
(1) 歯科医院内で，患者への医療を提供するための利用
(2) 歯科医院外へ，患者の医療情報を提供することによる利用
(3) 歯科医療の質を向上させるための利用

3　介護保険法に基づく掲示物（取り扱い医療機関のみ）

　介護保険法に定める介護保険サービスの提供について申請し，指定された医療機関は，介護サービスに係る情報（訪問診療においては居宅療養管理指導運営規程，居宅療養管理指導重要事項説明書等），および前項の個人情報保護に関する項目を掲示，交付，公表する必要があります．

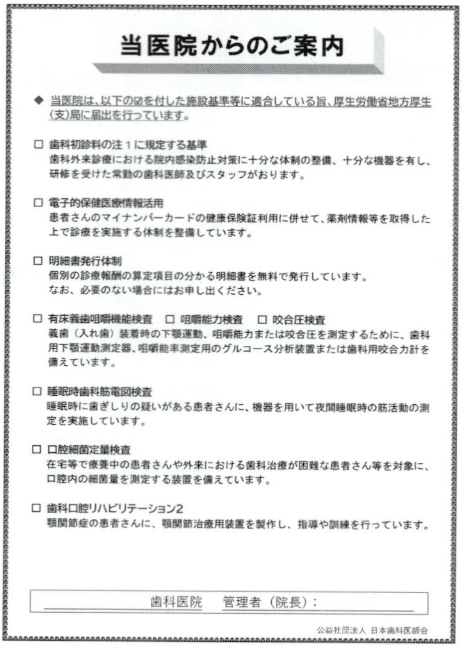

当医院からのご案内

◆ 当医院は、以下の☑を付した施設基準等に適合している旨、厚生労働省地方厚生(支)局に届出を行っています。

□ 歯科初診料の注１に規定する基準
歯科外来診療における院内感染防止対策に十分な体制の整備、十分な機器を有し、研修を受けた常勤の歯科医師及びスタッフがおります。

□ 電子的保健医療情報活用
患者さんのマイナンバーカードの健康保険証利用に併せて、薬剤情報等を取得した上で診療を実施する体制を整備しています。

□ 明細書発行体制
個別の診療報酬の算定項目の分かる明細書を無料で発行しています。
なお、必要のない場合にはお申し出ください。

□ 有床義歯咀嚼機能検査　□ 咀嚼能力検査　□ 咬合圧検査
義歯（入れ歯）装着時の下顎運動、咀嚼能力または咬合圧を測定するために、歯科用下顎運動測定器、咀嚼能率測定用のグルコース分析装置または歯科用咬合力計を備えています。

□ 睡眠時歯科筋電図検査
睡眠時に歯ぎしりの疑いがある患者さんに、機器を用いて夜間睡眠時の筋活動の測定を実施しています。

□ 口腔細菌定量検査
在宅等で療養中の患者さんや外来における歯科治療が困難な患者さん等を対象に、口腔内の細菌量を測定する装置を備えています。

□ 歯科口腔リハビリテーション2
顎関節症の患者さんに、顎関節治療用装置を製作し、指導や訓練を行っています。

＿＿＿＿＿＿歯科医院　管理者（院長）：＿＿＿＿＿＿

公益社団法人 日本歯科医師会

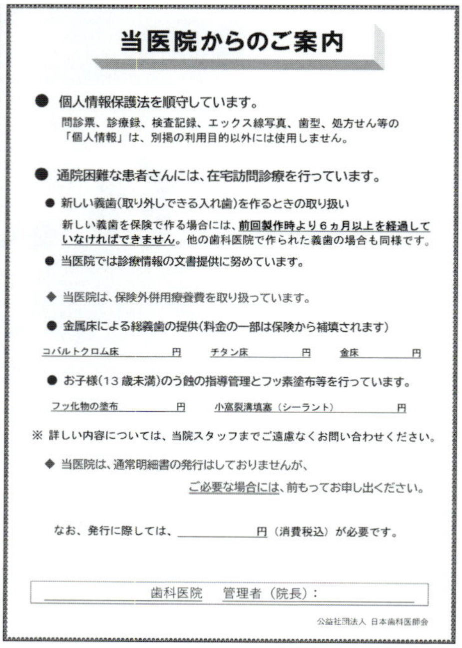

当医院からのご案内

● 個人情報保護法を順守しています。
問診票、診療録、検査記録、エックス線写真、歯型、処方せん等の「個人情報」は、別掲の利用目的以外には使用しません。

● 通院困難な患者さんには、在宅訪問診療を行っています。

● 新しい義歯(取り外しできる入れ歯)を作るときの取り扱い
新しい義歯を保険で作る場合には、前回製作時より６ヵ月以上を経過していなければできません。他の歯科医院で作られた義歯の場合も同様です。

● 当医院では診療情報の文書提供に努めています。

◆ 当医院は、保険外併用療養費を取り扱っています。

● 金属床による総義歯の提供(料金の一部は保険から補填されます)
コバルトクロム床＿＿＿＿円　チタン床＿＿＿＿円　金床＿＿＿＿円

● お子様(13 歳未満)のう蝕の指導管理とフッ素塗布等を行っています。
フッ化物の塗布＿＿＿＿円　小窩裂溝填塞（シーラント）＿＿＿＿円

※ 詳しい内容については、当院スタッフまでご遠慮なくお問い合わせください。

◆ 当医院は、通常明細書の発行はしておりませんが、
ご必要な場合には、前もってお申し出ください。

なお、発行に際しては、＿＿＿＿＿＿円（消費税込）が必要です。

＿＿＿＿＿＿歯科医院　管理者（院長）：＿＿＿＿＿＿

公益社団法人 日本歯科医師会

図 3-6　保険外併用療養費に関する事項の掲示ポスター例

4 保険医療療養担当規則等による掲示物

医療法のほかに，**保険医療療養担当規則**では，厚生労働省地方厚生局に施設基準等に適合している旨の届け出をした場合，それを掲示する必要があります．保険改定時に施設基準等が変わりますので，掲示内容に関しても改定ごと・届け出ごとに変更が必要です．

保険外併用療養費に関する事項（前歯部の金属歯冠修復に使用する金合金又は白金加金の支給に関する事項，金属床による総義歯の提供に関する事項，う蝕に罹患している患者の指導管理に関する事項）については，届け出をしている医療機関は費用を掲示しなければなりません．

日本歯科医師会で作成した令和 4 年度改定に係る掲示内容のポスターは図 3-6 のとおりです．

5 その他の推奨される掲示物

(1) 医療安全に関する掲示物

　i ）**医療安全管理対策指針**

(2) 医療理念・診療方針などに関する掲示物

(3) 妊娠中・授乳中に関する掲示物

（4）喘息・糖尿病・高血圧・肝炎などの全身疾患を有する患者に関する掲示物
（5）薬剤の服用に関する掲示物
　　ⅰ）お医者さんからのお薬をお飲みの患者さんへ
　　ⅱ）骨粗しょう症のお薬をお飲みの患者さんへ
　　ⅲ）ワーファリンなどの血流をよくする薬をお飲みの患者さんへ
（6）従業員のための掲示物
　　ⅰ）緊急時の役割分担
　　ⅱ）緊急時受付の対応
　　ⅲ）緊急搬送先一覧

これらの掲示物も医療を安全に行うためには欠かせないものです．

（森本徳明）

参考文献
1) 槻木恵一，中久木康一編：災害歯科医学．医歯薬出版，東京，2018．
2) 大規模災害対応マニュアル．大分県歯科医師会，2012．
3) 大規模災害時の歯科医師会行動計画（改訂版）令和3年6月
4) 日本歯科放射線学会防護委員会：歯科エックス線撮影における防護エプロン使用についての指針，2015．
https://jsomfr.sakura.ne.jp/wp-content/uploads/2019/09/apron_guideline.pdf（2023/2/1 アクセス）
5) 厚生労働省：在宅医療におけるエックス線撮影装置の安全な使用について（医薬安発第六九号），（平成一〇年六月三〇日），1998．
6) 日本歯科放射線学会防護委員会：携帯型口内法X線装置による手持ち撮影のためのガイドライン，2017．
https://jsomfr.sakura.ne.jp/wp-content/uploads/2017/12/portable_guideline.pdf（2023/2/1 アクセス）

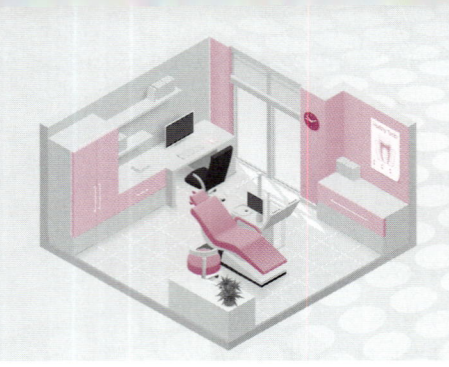

CHAPTER 4

医療情報，個人情報の管理

I 医療情報，個人情報における基本的考え方

　患者の健康上の問題などを取り扱う医療は，その中心となるのはあくまでも患者個人の問題であることから，**患者のプライバシー**と深く関係します．患者は医療従事者に何を話しても絶対にほかに漏洩しないという安心感および信頼感を必要としており，初来院時にすでに患者のプライバシー保護の必要性が生じています．歯科診療において患者と接する機会の多い歯科衛生士は，患者のプライバシー，秘密，個人情報を知ることが多く，さらにそれを知ることによってのみ，真に歯科衛生士としての職務を十分に遂行できるため，情報の保護とその取り扱いに十分留意しなければなりません．

　ここでは，患者が自分に関する医療情報がみだりに収集・利用・伝達されないことの保障，すなわち情報プライバシーの保護に関する問題として確認します．日本では，従来この問題は，医療関係職種の守秘義務との関係で整理されてきていることから，まず，プライバシーと秘密について概説し，個人情報の保護に関する法律における個人情報との相違などについて確認していきます．

1 プライバシーとプライバシーの侵害について

　アメリカにおける判例理論の展開のなかで確立されてきたプライバシーの権利は，当初は，**静穏のプライバシー**（一人にしてもらう権利や私生活に干渉されない権利）として捉えられ，その後，**人格的自立のプライバシー**（私的生活領域において自己決定する権利）として捉えられるようになり，さらに情報化社会のもとで**情報プライバシー**（自己に関する情報をコントロールする権利）が重視されるように変化してきました．新しい人権であるプライバシーの権利は，日本国憲法第13条を根拠としており自由権と受益権の2つの性質を併有していますが，プライバシー権のなかでも情報プライバシーは，一般に公共の福祉に反しない限りで尊重されています．

　プライバシー侵害の基準としては，「プライバシーの侵害に対し法的救済が与えられるためには，公開された内容が，私生活上の事実又は事実らしく受け取られるおそれがあり，一般人の感受性を基準にして当該個人の立場に立った場合公開を欲

しないであろうと認められ，一般の人々にいまだ知られていない事柄であることを必要とする．」と判示されています．最近では他人にみだりに知られたくない情報として保護に値する利益を有するかどうかが基準とされてきています．

2 秘密と守秘義務について

医師・歯科医師・薬剤師・助産師の**守秘義務**は刑法第134条に秘密漏示[*1]罪として規定されていますが，その他の医療従事者の守秘義務はそれぞれの個別法のなかで規定され，歯科衛生士の場合は歯科衛生士法に**秘密保持義務**と罰則が規定されています．

歯科衛生士法第13条の6

> 歯科衛生士は，正当な理由がなく，その業務上知り得た人の秘密を漏らしてはならない．歯科衛生士でなくなった後においても，同様とする．

歯科衛生士法第19条

> 第13条の6の規定に違反した者は，50万円以下の罰金に処する．
> 二　前項の罪は，告訴がなければ公訴を提起することができない．

「**秘密**」とは，一般には知られていない，すなわち特定の小範囲の者にしか知られていない事実であって，これを他人に知られないことが本人の利益になると認められるものをいいます．したがって，一般に，患者にとって病名は秘密であり，病状に関する事項に限定されませんが，患者に関する情報すべてのことでもありません．

医療従事者の守秘義務は，患者と医療従事者との間の信頼関係を法的に確保するうえでも必要とされており，患者のプライバシーの保護の観点から，何を秘密とするかの判断は患者の意思によって基本的には決定されるべきものであり，さらに，患者が個人の医療情報に関する自己決定権を可能な限り広く保障すべきでもあることから，主観説[*2]を基本に考えるべきです．したがって，本人が意識していない肉体的・精神的疾患が判明した場合，他人に知られないことが本人の利益と認められる以上は秘密であり，患者の不利益とならないような事項でも，本人が他言を禁じた場合も秘密になると解されます．

「**漏示**」とは，秘密をまだ知らない第三者である他人に告知することをいいます．告知の手段・方法を問わないため，患者の秘密を記載した書面（例えば，診療録や歯科衛生士業務記録など）を放置したままで他人に閲覧させてしまうような不作為の場合も含まれます．また，公然性が要件とされていないため，告知者が他言を禁じても漏示にあたります．

第三者の範囲については，親権者・配偶者に対する告知は，通常，患者の利益に

[*1] 漏示
秘密をまだ知らない第三者である他人に告知すること．

[*2] 主観説
本人が主観的に秘密とすることを欲する事実であれば足りるとする説．

なるので漏示にあたらないとされており，特に看護上必要がある場合の親権者への告知，親権者が親権の行使としてこの秘密に関し医師に訊ねた場合などは，漏示にはあたらないとされていますが，明らかに不利益と認められる事項の告知，例えば，患者が他言を禁ずる意思を示している場合には，漏示となりうることに注意が必要です．

「正当な理由がある場合」とは，主に，①本人の承諾がある場合，②法令上の届出義務などがある場合，③証言拒否権に該当する以外の法廷証言，④看護上必要があるときの親権者への告知などの場合です．

3　いわゆる個人情報保護法における個人情報などについて

世界におけるプライバシーの概念は，消極的・受動的概念から積極的・能動的概念へと変遷してきました（表4-1）．そのようななか，日本における個人情報保護法制の基本となる個人情報の保護に関する法律（以下，「**個人情報保護法**」）が2003年に公布（2005年施行）され，その後，2021年に抜本的改正（2022年および2023年施行）がなされています．個人情報保護法の基本的背景には，自己情報コントロール権の尊重の考え方があり，個人情報の漏えい[*1]，滅失[*2]，毀損[*3]などを防ぐために，取り扱っている個人情報の数にかかわらず，個人情報を使用して事業活動を行っているすべての個人情報取扱事業者に対し，個人情報の適切な取り扱いを行うための義務を定め，個人の権利利益を保護することを目的としています．

現代社会においては，自分が知らないうちに自分に関する情報が第三者に流通し，迷惑・不快感を被る可能性が高まってきたことを受けて，自分に関する情報を誰かが取得する時には，その情報が何に使用されるのかを明確にしてもらい，本人

[*1] 漏えい
もれること．また，もらすこと．

[*2] 滅失
物理的になくなること．

[*3] 毀損
なくなってはいないが，一部が壊れ，壊され，損なわれていること．

表4-1　世界におけるプライバシー概念の変遷

1974年	米国でPrivacy Act制定	・自己の情報をすべて知る権利から知ったうえでコントロールする権利に展開
1980年	経済協力開発機構がOECD8原則発表	・個人情報保護に関するガイドライン8原則 ①収集制限の原則 ②データ内容の原則 ③目的明確化の原則 ④利用制限の原則 ⑤安全保護の原則 ⑥公開の原則 ⑦個人参加の原則 ⑧責任の原則
1995年	EUで個人情報保護に関する指令発布	・欧州において個人の権利としての自己情報コントロール権が定着
2003年	米国でHIPA Act施行	・患者本人が自分に関わる情報をコントロールする現代的プライバシー権が強化
2016年	EUでGDPRを採択	・従来の個人情報保護に関する指令を厳格化した一般データ保護規則 ・「忘れられる権利」を明文化

が予想しない目的で使用されることを防止し，本人が自分に関する情報について個人情報取扱事業者に開示を求めたりすることを認め，それに対応して個人情報取扱事業者は各種の義務を負うというものです．

現代社会はICT*1（information and communication technology）が飛躍的に発達しているため，個人情報の保護の強化が必要不可欠である反面，個人情報の利活用がもたらす有用性との両立を図ることも必要です．ビッグデータを適正かつ効果的に活用することにより，人々の生活をあらゆる面でよい方向に変化させるDX*2（digital transformation）の推進も求められています．そのようなことから，デジタル社会の形成を図るための関係法律の整備に関する法律が2021年に公布され，民間部門と公的部門に区分されていた個人情報保護法の法体系が統合されました．

*1 ICT
情報通信技術を活用したコミュニケーションのこと．

*2 DX
データやデジタル技術を活用し，ビジネスや社会，生活のスタイルをより良いものに変化させること．「デジタル変革」ともいわれる．

個人情報保護法第2条第1項

> この法律において『個人情報』とは，生存する個人に関する情報であって，次の各号のいずれかに該当するものをいう．
> 一　当該情報に含まれる氏名，生年月日その他の記述等（文書，図画若しくは電磁的記録に記載され，若しくは記録され，又は音声，動作その他の方法を用いて表された一切の事項）により特定の個人を識別することができるもの（他の情報と容易に照合することができ，それにより特定の個人を識別することができることとなるものを含む．）
> 二　個人識別符号が含まれるもの

個人情報保護法でいう**個人情報**は，氏名，性別，生年月日などの情報に限られず，個人の身体，財産，職種，肩書きなどの属性に関して，事実，判断，評価を表すすべての情報が該当するため，評価情報，公刊物などによって公にされている情報，映像・音声による情報，従業員の情報，日本国民以外の外国人の当該情報も個人情報に該当します．

個人識別符号とは，身体の一部の特徴をデータ化した文字，番号，記号その他の符号で特定の個人を識別することができるものや，サービスの利用者や個人に発行されるカードその他の書類に割り当てられた文字，番号，記号その他の符号で利用者や個人を識別することができるもの（パスポート番号，基礎年金番号，運転免許証番号，各種保険者証番号，住民票コード，マイナンバーなど）をいいます．

個人情報保護法では，保護が必要な情報を，次の3つの概念に分けており，後段ほど守るべき義務の範囲が広がります．

> ①個人情報（生存する特定の個人を識別できる情報）
> ②個人データ（紙媒体，電子媒体を問わず，特定の個人情報を検索できるように体系的に構成した個人情報データベースなどを構成する個人情報
> ③保有個人データ（個人データのうち，個人情報取扱事業者が，開示，内容の訂正，追加または削除，利用の停止，消去，第三者への提供の停止を行うことのできる権限を有するもの）

　また，本人に対する不当な差別や偏見その他の不利益が生じないように，人種，信条，社会的身分，病歴，犯罪の経歴，犯罪被害の事実などが含まれる個人情報については，**要配慮個人情報**として本人の同意を得て取得することが原則義務化されており，本人の同意を得ない第三者提供（オプトアウト）も禁止されています．

　したがって，個人情報保護法に基づき，個人情報を取り扱う医療機関には，訂正や情報開示などの義務が課されることになります．具体的には，診療記録（診療録，処方箋，歯科衛生士業務記録，検査所見記録，エックス線写真，その他の診療の過程で作成・記録または保存された書類，画像等の記録など）は保有個人データに該当するため，医療機関は患者本人からの請求に対して，診療記録を開示する法律上の義務を負うことになります．

　しかし，個人情報保護法では生存者をその対象とし，死亡した患者の個人情報は対象外であるため，遺族が開示を求めることができないこと，医療従事者が診療記録に何をどう書くかまでの規定はなく，診療記録の改ざん防止などについての大切な議論がないという問題点も存在することなどから，厚生労働省は，「**診療情報の提供等に関する指針**」を 2003 年に策定しました．医療機関においては，同指針に沿って診療情報提供を行い，個人情報保護法と同指針の両者で診療情報提供を推進していくことになっています．なお，同指針では，個人情報保護法における問題点であった，遺族による開示や診療記録の正確性の確保と改ざん防止に対する対応などがなされています．また，内閣府の独立第三者機関である個人情報保護委員会と厚生労働省は，個人情報保護法の対象となる病院，診療所，薬局，介護保険法に規定する居宅サービス事業を行う者等の事業者などが行う，個人情報の適正な取り扱いの確保に関する活動を支援するため，「**医療・介護関係事業者における個人情報の適切な取扱いのためのガイダンス**」を 2017 年に策定しています．本ガイダンスは，医療・介護関係事業者における実例に照らした内容であり，以下の項目と内容で構成されています．

> ①本ガイダンスの趣旨，目的，基本的考え方
> 　本ガイダンスの趣旨・構成及び基本的考え方，本ガイダンスの対象となる医療・介護関係事業者や個人情報の範囲，個人情報保護委員会の権限行使との関係，医療・介護関係介護事業者が行う措置の透明性の確保と対外的明確化，責任体制の明確化と患者・利用者窓口の設置等，遺族への診療情報の提供の取扱い，個人情報が研究に活用される場合の取扱い，遺伝情報を診療に活用する場合の取扱い，他の法令等との関係，認定個人情報保護団体における取組

> ②用語の定義等
>   個人情報，個人識別符号，要配慮個人情報，仮名加工情報，匿名加工情報
> ③本ガイダンスの対象となる事業者の種別と法の適用関係
> ④医療・介護関係事業者の義務等
>   医療・介護関係事業者の義務等にかかる各種定義，医療・介護関係事業者における取組，利用目的の特定等，不適正な利用の禁止，利用目的の通知等，個人情報の適正な取得，個人データ内容の正確性の確保，安全管理措置，従業者の監督及び委託先の監督，漏えい等の報告等，個人データの第三者提供，外国にある第三者への提供の制限，第三者提供に係る記録の作成等，第三者提供を受ける際の確認等，保有個人データに関する事項の公表等，本人からの請求による保有個人データ等の開示，訂正及び利用停止，開示等の請求等に応じる手続及び手数料，理由の説明，事前の請求，苦情の対応
> ⑤ガイダンスの見直し等
>   必要に応じた見直し，本ガイダンスを補完する事例集の作成・公開

　医療分野の個人情報は，個人情報保護法，同指針および同ガイダンスの三者により，従前の医療従事者の守秘義務にとどまらず，患者の情報コントロール権に基づいた個人情報保護対策が必須になります．

4　個人情報・プライバシー・秘密の相違とその効果について

　個人情報保護法でいう個人情報，憲法にその保護法理を求めることができるプライバシーと，歯科衛生士法の秘密保持義務でいう秘密は，前述してきたようにその内容および範囲において相違する概念であり，その法的効果もそれぞれ異なります（図4-1）．

　個人情報保護法でいう個人情報は，秘密やプライバシーにかかる情報よりも非常に広い概念です．法的効果において，①秘密漏示は，規定された職種においては秘密漏示罪〔刑法〕または個別法上の刑罰が，②プライバシーの侵害行為は，不法行為による損害賠償請求〔民法〕，名誉毀損を回復するための適当な処分〔民法〕が，③個人情報を違法に取り扱った場合は，本人の開示請求，訂正請求，利用停止請求，個人情報保護委員会の監視監督（報告徴収，立入検査，指導，助言，勧告，命令），裁判所による刑罰がそれぞれ予定されています．個人情報保護法に違反しても，プライバシー侵害行為がない限り損害賠償請求権という私法上の効果は発生しません．逆に個人情報保護法は総括法（minimum standard）であって一般論を述べているにすぎないため，個人情報保護法を遵守したからといって情報セキュリティが万全であるとはいえず，民事責任あるいは刑事責任を問われないという保証もありません．

　したがって，医療従事者においては，個人情報保護法を遵守したうえで，秘密侵害やプライバシー侵害が発生しないように**情報セキュリティ対策**などに万全を尽くすことが求められます．

（岡村敏弘）

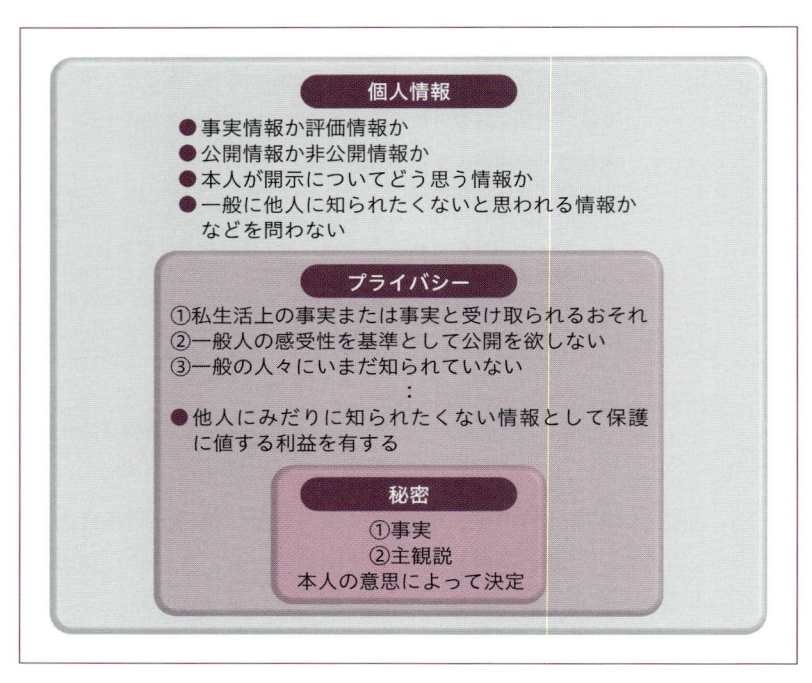

図4-1 個人情報，プライバシー，秘密の相違

Ⅱ 個人情報の取り扱いについて

個人情報取扱事業者は，個人情報を取り扱うにあたっては，さまざまな義務を負います．具体的には，以下のとおりです．

①その利用目的をできる限り特定すること（法第17条）
②特定された利用目的の達成に必要な範囲内でのみ取り扱うこと（法第18条）
③不適正な利用は禁止されること（法第19条）
④偽りその他不正の手段で取得しないこと（法第20条）
⑤取得に際して利用目的を本人に通知または公表すること（法第21条）
ほか，データ内容の正確性の確保（法第22条），安全管理措置（法第23条），従業者の監督（法第24条），委託先の監督（法第25条），漏えい時等における報告（法第26条），第三者提供の制限（法第27条）など．

歯科衛生士は，専門的な立場で口腔健康管理を適切に支援するため，対象となる人の口腔状況や生活習慣，あるいは身体面，精神面，社会面にわたる個人的な情報を得る機会が多くあります．歯科衛生士の倫理綱領に，「歯科衛生士は，守秘義務を遵守し，個人情報の保護に努めること（5条）および対象となる人の不利益を受けない権利，プライバシーを守る権利を尊重すること（12条）」が明記されていま

す（p.12 参照）．

　ここでは，仮名加工情報，個人情報の一次利用と二次利用，匿名加工情報，患者情報の第三者提供，電子保存の 3 基準の取り扱いについて確認していきます．

1　仮名加工情報

　仮名加工情報とは，他の情報と照合しない限り特定の個人を識別することができないように個人情報を加工した情報です．仮名加工情報の作成の方法に関する基準は，個人情報の保護に関する法律施行規則第 31 条に，個人情報に含まれる以下の 3 つを削除することが規定されています．

> ①特定の個人を識別することができる記述等の全部または一部
> ②個人識別符号の全部
> ③不正に利用されることにより財産的被害が生じるおそれがある記述等

　仮名加工情報は，再識別禁止や内部利用への限定などを条件に，個人情報の取り扱いにおける義務が一部緩和されています．しかし，個人情報である仮名加工情報の取り扱いにはその機微性ゆえに遵守すべき義務があります．下記の 6 項目の遵守が求められています．

> ①特定された利用目的の達成に必要な範囲を超えて，仮名加工情報を取り扱ってはならない．（法第 41 条第 3 項）
> ②仮名加工情報を取得したときは，利用目的を公表しなければならない．また，利用目的を変更した場合は，変更後の利用目的を公表しなければならない．（法第 41 条第 4 項）
> ③仮名加工情報である個人データおよび削除情報等を利用する必要がなくなったときは，遅滞なく消去する．（法第 41 条第 5 項）
> ④仮名加工情報である個人データを第三者に提供してはならない．（法第 41 条第 6 項）
> ⑤仮名加工情報の元の個人情報にかかる本人を識別する目的で他の情報と照合することを行ってはならない．（法第 41 条第 7 項）
> ⑥元の個人情報にかかる本人への連絡等を行う目的で当該仮名加工情報に含まれる連絡先その他の情報を利用してはならない．（法第 41 条第 8 項）

2　個人情報の一次利用と二次利用

　診療上得られた患者の個人情報はさまざまな利用方法があり，個人情報の種類や利用目的に応じて取り扱いが変わってきます．
　治療計画や治療経過の記録などの診療上で使用する一次利用と医学系研究や医療制度設計，医学教育などの診療以外の利用法である二次利用があります．
　診療に該当する一次利用および二次利用のうち症例研究，症例報告，医療保険事

務，専門医取得のための症例報告は『医療・介護関係事業者における個人情報の適切な取扱いのためのガイダンス』が適用され，「十分な匿名化が困難な場合は，本人の同意を得なければならない」とされています．

一方で人（試料・情報を含む）を対象として，傷病の成因，病態の理解，傷病の予防方法等の研究においては『**人を対象とする生命科学・医学系研究に関する倫理指針**』が適用されます．研究主体ごとに適用される法律等は異なるものの，指針では，複数施設間での共同研究等において試料・情報のやりとりに支障の出ることがないよう，また，研究対象者の保護等のために，すべての研究者が遵守すべき統一的なルールが定められています．

3 匿名加工情報

匿名化とは，特定の個人（死者を含む）を識別することができる記述等（個人識別符号を含む）の全部または一部を削除することで個人が特定できないようにする手法です．個人情報保護法に定める匿名加工基準を満たすように，個人情報を加工したものが「**匿名加工情報**」です．匿名加工情報は，再識別化を防止するため，識別行為の禁止が定められています（法第43条第5項および第45条）．

匿名加工情報の作成の方法に関する基準は，個人情報の保護に関する法律施行規則第34条に，個人情報に含まれる以下の5つを削除することが規定されています．

①特定の個人を識別することができる記述等の全部または一部
②個人識別符号の全部
③個人情報と当該個人情報に措置を講じて得られる情報とを連結する符号
④特異な記述等
⑤個人情報に含まれる記述等と当該個人情報を含む個人情報データベース等を構成する他の個人情報に含まれる記述等との差異など

4 患者情報の第三者提供

第三者提供は個人情報の二次利用で行われます．個人情報の提供元になるのか，提供先になるのかで取り扱いが異なるので注意が必要です．

『人を対象とする生命科学・医学系研究に関する倫理指針』によると，提供先機関における照合性の状況の如何にかかわらず，提供元機関で個人情報とみなされる場合は個人情報の提供とみなします．そのため，提供元の場合は，提供する個人情報が匿名化されて「匿名加工情報」に加工していることが求められます．提供先の場合は，提供された「匿名加工情報」に要配慮情報を含んでいないことを確認のう

*1 トレーサビリティ
追跡可能性のこと．

え使用することが求められます．

　また，改正個人情報保護法において，個人情報のトレーサビリティ*1の確保の観点から第三者提供時の提供元および提供先において，記録の作成・確認，保管期間等の手続きが新たに規定されました．提供元の研究機関での情報の提供にかかる記録の保管期間は，提供した日から3年であり，提供先の研究機関での情報の提供（受領）にかかる記録の保管期間は研究終了について報告された日から5年を経過した日までとなっています．

5　電子保存の3基準

　高度情報通信ネットワーク社会形成基本法に基づき作成された『e-Japan重点計画-2004』において，民間における文書・帳票の電子的な保存を原則として容認する統一的な法律の制定を行うとされたことを受けて，法的に保存義務のある文書等（診療録，処方箋，歯科技工指示書，歯科衛生士業務記録など）を電子的に保存することができるようになりました．ただし，電子的に保存するためには，電子化した文書を支障なく取り扱えることが担保されていること（**見読性**），内容の正確さについても訴訟等における証拠能力を有すること（**真正性**），所定の期間において安全に保存されていなくてはならないこと（**保存性**）が確保される必要があり，医療情報システムの安全管理に関するガイドラインなどには，これら3つの基準が詳細に示されています．

❶―見読性の確保

*2 電磁的記録
電子的方式，磁気的方式その他人の知覚によっては認識することができない方式で作られる記録であって，電子計算機による情報処理の用に供されるもの．

> 必要に応じ電磁的記録*2に記録された事項を出力することにより，直ちに明瞭かつ整然とした形式で使用にかかる電子計算機その他の機器に表示し，および書面を作成できるようにすること．
> ①情報の内容を必要に応じて肉眼で見読可能な状態に容易にできること．
> ②情報の内容を必要に応じて直ちに書面に表示できること．

　何らかのシステム障害が発生した場合においても，診療に重大な支障がない最低限の見読性を確保する対策も考慮に含める必要があります．特に災害等の非常時には，システムが完全に停止してしまうおそれもあるため，定期的なバックアップを実施して，診療録等に記載された患者情報を確認できるようにしておくことが望ましいです．

❷─真正性の確保

> 電磁的記録に記録された事項について，保存すべき期間中における当該事項の改変または消去の事実の有無およびその内容を確認することができる措置を講じ，かつ，当該電磁的記録の作成にかかる責任の所在を明らかにしていること．
> ①故意または過失による虚偽入力，書き換え，消去および混同を防止すること．（混同とは，患者を取り違えた記録がなされたり，記録された情報間での関連性を誤ったりすること）
> ②作成の責任の所在を明確にすること．

　具体的には，虚偽入力，書き換え，消去および混同を防止するためには，故意または過失，使用する機器・ソフトウェアなどそれぞれの原因に対して，運用も含めて対応する必要があります．また，入力者および確定者の識別・認証，記録の確定，識別情報の記録，更新履歴の保存において，対策を講じる必要があります．特に代行入力を行う場合には，確定者の識別・認証において留意が必要です．

❸─保存性の確保

> 電磁的記録に記録された事項について，保存すべき期間中において復元可能な状態で保存することができる措置を講じていること．

　具体的には，不正ソフトウェアによる情報の破壊および混同等，不適切な保管・取り扱いによる情報の滅失，破壊，記録媒体，設備の劣化による情報の読み取り不能または不完全な読み取り，媒体・機器・ソフトウェアの不整合による情報の復元不能，障害等によるデータ保存時の不整合など原因に対する技術面および運用面での対策が求められます．

（川上智史，越智守生，山口摂崇）

Ⅲ　個人情報に関する業務委託先の監督

　政府は，平成15年に個人情報の保護に関する法律（以下「法」）第7条第1項の規定に基づき，「個人情報の保護に関する基本方針」（以下「基本方針」）を策定しました．その後度々改正され，令和2年には「個人情報の保護に関する法律等の一部を改正する法律」（令和2年改正法）が施行され，令和3年には「デジタル社会の形成を図るための関係法律の整備に関する法律」（令和3年改正法）が施行されました．

　両法律により，今まで複数の法令等で規律されてきた個人情報などの適正な取扱いに関する制度が法に統合・一本化され，高い独立性と政治的中立性を有する機関である**個人情報保護委員会**が法を所管することとなりました．

CHAPTER 4 医療情報，個人情報の管理

　個人情報保護委員会が作成した『医療・介護関係事業者における個人情報の適切な取扱いのためのガイダンス』ならびにそれを元に作成された日本歯科医師会作成の『歯科医院のための個人情報保護法 Q&A チェアサイド版』ならびに法律の詳細は個人情報保護委員会のホームページ（https://www.ppc.go.jp）から確認しておくとよいでしょう．

1　個人情報管理の範囲

　本項に関する，管理しなければならない個人情報とその範囲について考えてみましょう．

　歯科医院における個人情報の取扱いについては，法令上大きく分けて次の取り組みが必要となります．

> ①個人情報の取得・利用
> 　例）利用目的を特定して，その範囲内で利用する．利用目的を通知または公表する．
> ②個人データの保管
> 　例）漏えいなどが生じないよう，安全に管理する．従業員・委託先にも安全管理を徹底する．
> ③個人データの第三者提供
> 　例）第三者に提供する場合は，あらかじめ本人の同意を得る．第三者に提供した場合・第三者から提供を受けた場合は，原則一定事項を記録する．
> ④保有個人データに関する開示請求などへの対応
> 　例）本人から開示などの請求があった場合は，これに対応する．苦情などに適切・迅速に対応する．

　個人情報の保護に関する考え方は，社会情勢や患者・利用者等の意識の変化に対応して変化していきます．このため，各歯科医院においては，ガイダンスの趣旨を踏まえた個人情報の適切な取扱いに取り組むとともに，引き続いての検証と改善が求められます．

　歯科医院において通常の診療だけではなく，健康相談業務も行っている場合，健康相談業務に係る記録について，相談者の病歴や身体状況，病状，治療などについて記録を保存しているのであれば，個人情報に該当します．したがって，個人情報の取扱い，特に要配慮個人情報*の取扱いについては「個人情報保護法」や『個人情報の保護に関する法律についてのガイドライン（通則編）』などを踏まえた取扱いが必要です．

　歯科医院でみられる個人情報には，患者およびその家族だけでなく，従業員や委託業者に関する情報も含まれます．

1）患者およびその家族

　診療申込書，問診票，診療録，歯科衛生士業務記録，健康相談業務記録，エックス線検査記録および他の各種検査記録〔歯周組織検査記録，顔面および口腔内写

---

*要配慮個人情報
不当な差別や偏見その他不利益が生じないように，その取り扱いに特に配慮を要するものとして法律，政令及び規則で定める記述が含まれる個人情報のこと．要配慮個人情報の取得や第三者提供には，原則として本人の同意が必要で，法第23条第2項の規定による第三者提供（オプトアウトによる第三者提供）は認められていない（p.94参照）．

101

真，研究診断用模型など〕，各種調査記録〔口腔健康管理記録，生活記録，患者満足度調査記録など〕，治療計画書，医療情報提供書，補綴物維持管理票，患者同意書，処方せん（服薬説明書を含む），紹介状，照会状，コンピュータに入力した患者情報，歯科技工指示書，その他患者にかかわる情報〔患者の氏名等が書かれたメモ，領収書（治療費精算書），日計表，留守番電話メッセージなど〕

2）従業員

履歴書，人事考課記録，税務にかかわる記録，労務にかかわる記録（給与明細書，健康診断結果など），その他医療従事者にかかわる情報

3）委託・取引業者

歯科技工所，歯科材料商，廃棄物処理業者，レセコン会社，セキュリティ会社などの情報

なお，診療録や介護関係記録に患者・利用者の情報のほか，患者・利用者の家族に関する情報が記載されている場合，その家族の個人情報を保有していることになります．

- 「個人情報の匿名化」は法律上の用語ではなく，従来から医療・介護の実務においてそのような取扱いがされてきました．ただし，個人情報から氏名等の特定の個人を識別することができる情報を削除したとしても，歯科医院内で得られる他の情報と照合することにより，特定の患者・利用者等を識別することができる場合には，その情報は個人情報に該当する場合があります．このため，個人情報に該当するか否かについては，情報を保有する歯科医院において個別の事例に応じて判断することとなりますが，判断に迷う場合には，個人情報保護法上，同法第76条の適用を受ける場合（大学病院等における学術研究目的での利用について通知・公表している場合等）を除き，個人情報に該当するものとして取り扱うことが望ましいと考えられます．
- 患者の診療情報等は個人データに該当するため，第三者提供及び利用目的の変更に当たっては，原則として本人の同意が必要です．また，第三者提供に当たり黙示の同意が得られていると考えられるのは，本人への医療の提供のために必要な範囲に限られます．
- 個人情報保護法第35条では，医療・介護関係事業者（歯科医院）は個人情報の取扱いに関して患者・利用者等から苦情の申し出があった場合，適切かつ迅速な対応に努めなければならず，そのために必要な体制の整備に努めなければならないとされています．
- また，個人情報の取扱いに関して，患者・利用者等が疑問に感じた内容を，いつでも，気軽に問い合わせできる窓口機能等を確保することが重要であるとしています．患者・利用者らが利用しやすいように配慮することが重要です．こ

のため，歯科医院の規模などに応じて，以下のことに配慮する必要があります．

> ①相談窓口について院内掲示等により広報し，歯科医院として患者・利用者らからの相談や苦情を受け付けていることを広く周知すること
> ②専用の相談スペースを確保するなど相談しやすい環境や雰囲気をつくること
> ③担当職員に個人情報に関する知識や事業者内の規則を十分理解させるとともに，相談内容の守秘義務を徹底するなど，窓口の利用に伴う患者・利用者等の不安が生じないようにすること

2 個人情報管理上のトラブルの可能性と対策の立案

個人情報保護法第35条では，「個人情報取扱事業者は，個人情報の取扱いに関する苦情の適切かつ迅速な処理に努めなければならない」とされており，患者からの相談や苦情などがあった場合は，まず，歯科医院が対応する必要があります．

❶ー個人データの漏えいが発生した時

個人情報保護法では，**個人データの漏えい**が発生した場合には，事業者における安全管理措置や従業者への監督義務が適切に行われていなかったのではないかということで責任を負う可能性があります．

また，個人情報取扱事業者もしくはその従業者またはこれらであった者が，その業務に関して取り扱った**個人情報データベース等**を不正な利益を図る目的で提供し，または盗用したときは，刑事罰が科される可能性があります．

歯科医師，歯科衛生士などの医療従事者については，刑法や各資格法で規定されている**守秘義務違反**に，また，資格を有しない従業者についても，業務の内容によっては関係法律により規定されている**守秘義務違反**に問われる可能性があります．

なお，漏えい等により権利を侵害された者から民事上の責任を問われる可能性もあります．

❷ー歯科医院における患者・利用者に関する情報の利用目的の公表

歯科医院においては，**表4-2**に示すように，患者・利用者に関する情報をさまざまな目的で利用します．

患者・利用者に利用目的をわかりやすく示す観点から，このような利用目的についても院内掲示などにより公表することを求めています．

また，医療機関等において，他の医療機関等へ黙示による同意に基づき情報提供を行う場合には，**院内掲示**などにより，その利用目的や，あらかじめ本人の明確な同意を得るよう求めることができることなどについて公表することが前提となっています．

表 4-2　医療・介護関係事業者の通常の業務で想定される利用目的〔『医療・介護関係事業者における個人情報の適切な取扱いのためのガイダンス』別表 2 改編〕

歯科医院の通常の業務で想定される利用目的
【患者への医療の提供に必要な利用目的】
〔医療機関等の内部での利用に係る事例〕
　・当該医療機関等が患者等に提供する医療サービス
　・医療保険事務
　・患者に係る医療機関等の管理運営業務のうち，
　　－医療事故等の報告
　　－当該患者の医療サービスの向上
〔他の事業者等への情報提供を伴う事例〕
　・当該医療機関等が患者等に提供する医療サービスのうち，
　　－他の病院，診療所，助産所，薬局，訪問看護ステーション，介護サービス事業者等との連携
　　－他の医療機関等からの照会への回答
　　－患者の診療等に当たり，外部の医師等の意見・助言を求める場合
　　－検体検査業務の委託その他の業務委託
　　－家族等への病状説明
　・医療保険事務のうち，
　　－保険事務の委託
　　－審査支払機関へのレセプトの提出（適切な保険者への請求を含む．）
　　－審査支払機関又は保険者への照会
　　－審査支払機関又は保険者からの照会への回答
　・事業者等からの委託を受けて健康診断等を行った場合における，事業者等へのその結果の通知
　・医師賠償責任保険などに係る，医療に関する専門の団体，保険会社等への相談または届出等
【上記以外の利用目的】
〔医療機関等の内部での利用に係る事例〕
　・医療機関等の管理運営業務のうち，
　　－医療・介護サービスや業務の維持・改善のための基礎資料
　　－医療機関等の内部において行われる学生の実習への協力
　　－医療機関等の内部において行われる症例研究
〔他の事業者等への情報提供を伴う事例〕
　・医療機関等の管理運営業務のうち，
　　－外部監査機関への情報提供

〔個人情報保護委員会・厚生労働省：平成 29 年 4 月（令和 4 年 3 月一部改正）〕

❸─要配慮個人情報を取得する時

　要配慮個人情報を取得する時は，原則としてあらかじめ本人の同意を得る必要があります．一方で，医療機関の受付で診療を希望する患者は，傷病の回復などを目的としており，医療機関はより適切な医療が提供できるように治療に取り組むとともに，その費用を公的医療保険に請求する必要が生じます．良質で適正な医療の提供を受けるためには，また公的医療保険の扶助を受けるためには，医療機関が患者の要配慮個人情報を含めた個人情報を取得することは不可欠です．

　このため，例えば，患者が医療機関の受付で，問診票に患者自身の身体状況や病状などを記載し，保険証とともに受診を申し出ることは，患者自身が要配慮個人情報を含めた個人情報を医療機関に取得されることを前提としていると考えられるため，要配慮個人情報を書面または口頭により本人から適正に直接取得する場合は，患者の当該行為をもって，本人の同意があったものと解されます．

❹―個人データの取扱いに係わる業務を委託している場合

　利用目的を院内掲示等により公表するにあたり，個人データの取扱いに係わる業務を委託している場合には，その旨を公表することを求めています（表4-2参照）．委託する業務の内容により，患者・利用者の関心が高い分野については，委託先の事業者名をあわせて公表することも考えられます．

　なお，委託先の事業者の担当者名，責任者名については，当該本人の個人情報になりますので，それらを公表する場合には，本人の同意を得るなどの対応も必要になります．

　歯科医院内にはさまざまな個人情報があります．このため，通常は個人データを直接取り扱わない業務であっても，個人情報に接する可能性に配慮する必要があります．

　業務委託にあたり，委託契約書に個人情報の取扱いに関する事項をどのように記載するかについては，委託する業務の内容や当該事業者における個人情報の管理の現状などを勘案し，歯科医院において適切な方法を検討したうえで判断することが必要です．

❺―家族等への病状の説明を行う場合

　歯科医院においては，患者への医療の提供に際して，家族等へ病状の説明を行うことは，患者への医療の提供のために通常必要な範囲の利用目的と考えられ，院内掲示などで公表し，患者から明示的に留保の意思表示がなければ，患者の黙示による同意があったものと考えられます．

　医療・介護サービスを提供するにあたり，患者・利用者の病状によっては，第三者である家族に病状などの説明が必要な場合もあります．この場合，患者・利用者本人に対して，説明を行う対象者の範囲，説明の方法や時期について，あらかじめ確認しておくなど，できる限り患者・利用者本人の意思に配慮する必要があります．

　なお，本人の同意が得られない場合であっても，歯科医師が，本人または家族などの生命，身体または財産の保護のために必要であると判断する場合であれば，家族へ説明することは可能です．

❻―弁護士会から患者の照会があった場合

　弁護士会から過去に診療を行った患者に関する照会があった場合，弁護士は，弁護士法第23条の2に基づき，受任している事件に関して，所属する弁護士会を通して公務所または公私の団体に照会して必要な事項の報告を求めることができるとされています．したがって，弁護士会への回答にあたっては，「法令に基づく場合」に相当するため，本人の同意を得ずに個人データの第三者提供を行うことができます．ただし，回答するか否かについては個別の事例ごとに判断する必要があります．

❼―民間保険会社から患者の照会があった場合

民間保険会社から歯科医院に対して，患者の治療結果などに関する照会があった際，民間保険会社が患者本人から取得した「同意書」を提示した場合でも，個人データの第三者提供にあたっては，歯科医院が本人の同意を得る必要があります．

Ⅳ　歯科医院における個人情報管理の実際

❶―診療申込書・問診票等に記載してもらう個人情報について

通常の診療に利用することには問題ありません．しかし，申込内容の確認以外の目的（リコール，医院の案内など）や連携医療機関等で利用することがあれば，その旨を個人情報の利用目的として，診療申込書か，院内掲示などで明示しておく必要があります．それがなければ，原則として利用することはできません．

❷―患者を呼び出す場合の氏名について

患者の取り違えをなくすために氏名を呼ぶことは差し支えありません．ただし，氏名で呼び出されることを望まない患者に対しては，その旨申し出ていただければ対応することを明示することが望ましいでしょう．

❸―個々の同意を必要とする事項と，院内掲示をすれば患者の同意があったものとみなす事項について

個々に同意を必要とする項目には以下のようなものがあります．それ以外は原則的に院内掲示などでよいと考えられます．

> ①治験（新薬や新材料）の場合
> ②医学研究（当院の研究者も含む），研修会の資料のための提供，共同研究（ただし匿名化された資料を除く）
> ③法的な規制がない外部機関（学校，職場，保険会社など）からの問合わせに対する回答

なお，患者の家族からの問合わせに対応してよいかどうか，対象者はどこまでかを，事前に患者に確認しておくことが必要です．

❹―本人の同意を得る場合の文書での同意の必要性について

文書による方法のほか，口頭，電話による方法なども認められます．このため，同意を求める内容や緊急性などを勘案し，それぞれの場面に適切な方法で同意を得るべきです．

❺―特定した利用目的の公表方法について

　特定した利用目的を院内掲示などにより公表する場合には，単に公表しておくだけではなく，患者・利用者が十分理解できるよう受付時に注意を促したり，必要に応じて受付後に改めて説明を行ったりするほか，患者・利用者の希望があれば詳細な説明や当該内容を記載した書面の交付を行うなど，歯科医院において個々の患者のニーズに適切に対応していなければなりません．

❻―患者の診療記録等を他の医療機関等へ提供する場合の本人から同意について

　他の医療機関等への情報の提供のうち，患者の傷病の回復等を含めた患者への医療の提供に必要であり，かつ，個人情報の利用目的として院内掲示等により明示されている場合は，原則として黙示による同意が得られているものと考えます．なお，傷病の内容によっては，患者の傷病の回復等を目的とした場合であっても，個人データを第三者提供する場合は，あらかじめ本人の明確な同意を得るよう求められる場合もあり，その場合，歯科医院は，本人の意思に応じた対応を行う必要があります．

❼―歯科医院において個人データが漏えいしてしまった場合の対応について

　図 4-2 に示す．
　歯科医院において，個人データの漏洩等の事故が発生した際には，適切な対応が求められます．歯科医院内において発生した場合はもちろんのこと，委託先において発生した場合でも歯科医院と同様の対応が求められます．したがって，歯科医院は業務を委託する際に，委託先との間の報告連絡体制を整備しておかなければなりません．

❽―治療内容等の電話対応について

　本人からの場合でも，氏名，生年月日などの確認が必要で，個人情報の話は電話ではしないほうがよいでしょう．家族からの場合でも，原則として本人の承諾がない限り電話での対応は避けるべきです．

❾―委託先へ印象や模型，検体などを出す場合，患者氏名を記号化する必要性について

　委託業者と個人情報保護についての契約や誓約書を取り交わし，また，外部委託することを利用目的に掲載し院内掲示しておけばよいでしょう．しかし，データの記号化は有益です．

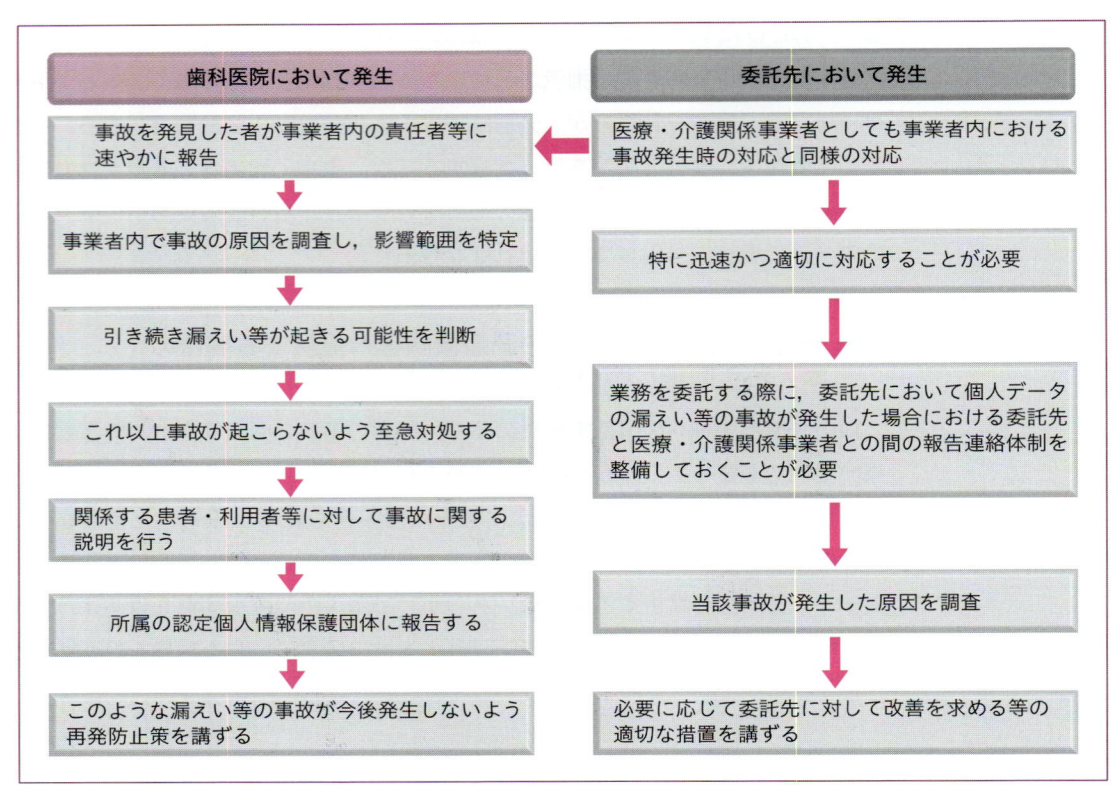

歯科医院において発生	委託先において発生
事故を発見した者が事業者内の責任者等に速やかに報告	医療・介護関係事業者としても事業者内における事故発生時の対応と同様の対応
事業者内で事故の原因を調査し，影響範囲を特定	特に迅速かつ適切に対応することが必要
引き続き漏えい等が起きる可能性を判断	業務を委託する際に，委託先において個人データの漏えい等の事故が発生した場合における委託先と医療・介護関係事業者との間の報告連絡体制を整備しておくことが必要
これ以上事故が起こらないよう至急対処する	
関係する患者・利用者等に対して事故に関する説明を行う	
所属の認定個人情報保護団体に報告する	当該事故が発生した原因を調査
このような漏えい等の事故が今後発生しないよう再発防止策を講ずる	必要に応じて委託先に対して改善を求める等の適切な措置を講ずる

図4-2 個人データの漏えい等の事故が発生した場合の対処

❿—患者の病状等をその家族等に説明する場合の留意点について

　家族等への病状の説明を行うことは，患者への医療の提供のために必要と考えられます．歯科医院においては，表4-2に示すように，患者・利用者に関する情報をさまざまな目的で利用します．利用目的の1つとして家族に説明する旨を掲示し，患者から明示的に留保の意思表示がなければ，患者の黙示による同意があったものと考えられます．医療サービスを提供するにあたり，患者の病状によっては，第三者である家族に病状の説明が必要な場合もあります．この場合，患者本人に対して，説明を行う対象者の範囲，説明の方法や時期などについて，あらかじめ確認しておくなど，できる限り患者本人の意思に配慮する必要があります．なお，本人の同意が得られない場合であっても，歯科医師が，本人または家族の生命，身体または財産の保護のために必要であると判断する場合であれば，家族へ説明することは可能です．

⓫—定期健診のリコールはがきを患者に送付する場合の患者の同意について

　口頭により同意を得るか，はがきの送付先宛名を患者本人に記入いただくことに

より，患者の同意が得られたと考えられます．

⓬―委託先としての歯科技工所について
　他の事業者等への情報提供で「第三者」への提供に該当しない場合として，検査等の業務を委託する場合がガイドラインに示されています．歯科技工所への委託はこれに準ずるものと考えられますので，患者本人の同意を得る必要はありません．

⓭―電話により患者情報を他の医療機関の医師・歯科医師から緊急に求められた場合の対応について
　医療機関の医師・歯科医師であることを確認でき，本人の同意を得ることが困難な状況でかつ緊急性があると判断できる場合には，問題ありません．

⓮―利用目的を周知する方法について
　ポスターなどの院内掲示，リーフレットなどの配布物を患者へ渡すこと，診療申込書や問診票等に表示することやホームページへの掲載もあります．

⓯―他の医療機関から過去の診察結果等について照会があった場合について
　患者の同意のうえでの照会であることが確認できれば，診療情報を提供しても問題ありません．また，院内掲示で黙示の同意が得られている場合も問題ありません．

⓰―適切な安全管理措置を行うための個人データの保管について
　個人データを含む書類等の管理方法は，各医療機関などによってさまざまであると考えられ，すべての医療機関において，鍵のかかる場所への保管が義務づけられているわけではありません．

⓱―個人データの入っているパソコンの管理について
　安全管理の観点からパソコンを起動する際のユーザーID／パスワードの設定は必要です．また，個々のファイルにパスワードやIDを設定することは有効です．

⓲―従業員が個人情報保護について誓約書を提出すること，あるいは就業規則に記載することの必要性について
　従業員ごとに在職中はもとより退職後も情報を漏えいしないとする誓約書の提出，あるいは就業規則にその旨をうたうことが望ましいでしょう．

（中村勝文）

Ⅴ　病院における医療情報・個人情報の管理

1　病院情報システムの安全管理

　近年は，病院や診療所の規模に関係なく電子カルテの導入が進んでいます．病院のような複数の部門をもち，さまざまな専門職種が多くの診療情報を扱う現場では，電子カルテを柱とする病院情報システムを導入することで，院内の診療情報の交換や管理が効率的に行われるようになり，医療サービスの質の向上につながっています．さらに，院内にとどまらず，地域あるいは病院間，病院－診療所間などにおいてもスムーズな情報連携が可能となってきました．

　診療情報はたくさんの種類と形態をもつのが特徴で，特に患者個別の情報（患者情報）の取扱いには細心の注意が必要です．万が一，情報システムに障害や故障が発生すると情報の漏えいはもちろん，医療サービスの提供にも影響を及ぼし，患者の生命や健康に支障が出てしまいます．

　医療情報の取扱いと安全管理に関しては，個人情報保護法や，医療機関向けの指針である『医療情報システムの安全管理に関するガイドライン』（厚生労働省）などに従うことが求められています．それぞれの病院や診療所において安全管理体制を整備して，具体的な対策を講じなければいけません．

2　組織的安全対策

　さまざまな職種や場面で利用される診療情報を適正に管理するためには，医療機関ごとのルールづくりが必要です．主な内容として，①システムの運用責任者の決定，②個人情報の取扱いおよび管理，③情報へのアクセス権限の作成および管理，④システムの点検，などがあげられます．これらのルールは，医療機関の管理責任や説明責任を果たすためにも極めて重要といえます．そして，すべての職員に周知され，各々がルールを正しく理解しておくべきです．

3　物理的安全管理

　情報システムを構成するサーバー，コンピュータ，ノート型パソコン・タブレットなどの機器および端末の物理的保護を指します．例を表4-3に示します．

　災害やシステムの障害時に備え，機器類の落下，転倒，移動を防ぐための固定や，診療情報・データを保管するバックアップシステムの適正な管理，定期的な保守点検などを実施することは重要な対策といえます．また，システムの構成には多

表4-3 物理的安全管理

	具体例
①災害などによる物理的破損への対策	免震・耐震設備の整備 （機器類の落下や転倒等の防止，定期的な保守点検など）
②サーバーの発熱，停電時の対策 データの保全対策	エアコン，自家発電機，バックアップシステム，無停電電源装置（UPS）などの設置および管理
③機器類の盗難・紛失防止対策	保管・設置場所の施錠 機器類のワイヤーやチェーンによる固定
④不正操作・のぞき見などの防止対策	システム設置場所の入退室管理（名札，IDによる管理，記録作成など） 防犯カメラなどによる監視

表4-4 技術的安全管理

	具体例
①利用者の識別や認証による管理	本人IDとパスワードの付与（定期的な変更が必要） 指紋や静脈などを用いた生体認証の導入
②情報へのアクセス権限による管理	職種ごとに情報の種別によるアクセス権限を付与 （なるべくシステム導入前に決定しておく）
③アクセス記録（アクセスログ）の管理	誰がいつ利用したか，不正利用などを記録・保存
④ネットワークおよびデータの管理 （ウイルス，情報漏えいなどへの対策）	ファイアウォールの導入，USBメモリなどの接続禁止 情報の持ち出しのルール化

くのサーバーが必要であり，稼働による発熱への対応として，サーバーを設置する場所ではエアコンの稼働が必須です．

　入退室の管理では，名札の着用を義務づける，IDやパスワードにより認証する，入退室者をその都度記録して定期的にチェックするなどの方法があります．

4　技術的安全管理

　医療従事者やその他の事務職員などは，必要に応じて個々の業務に関連する診療情報を利用しますが，システム上のすべての情報が，すべての職種に必要ではありません．職種により利用したい情報が異なるため，利用者の識別や認証を行う機能や，システム内のデータや情報にアクセスする，あるいは情報を利用できる権限を職種ごとに与える機能を持たせて管理します（表4-4）．

　システムを導入する時には，誰が「カルテに診療内容を記入できるのか」，「検査の結果や情報を閲覧できるのか」，「薬や注射の処方・オーダーができるのか」，「会計のシステムを利用するのか」などをあらかじめ検討して，どの職種にどの権限を与えるのかを決めます．カルテを利用する場合，「見るだけ」と「診療内容を記入

する」では利用目的が異なるので，安全性確保のために権限の付与が必要不可欠になります．

　不正なアクセスや情報利用への基本的な対策では，誰がいつどこでアクセスしたかの記録（アクセスログ）が残る仕様とすることや，外部からのコンピュータウイルスの侵入を未然に防ぐ仕組みであるファイアウォール（FW）の導入や，システムと外部ネットワークの接続が不可能な仕様とすることなどがあげられます．また，利用者が誤ってウイルスを侵入させてしまうケースも考えられます．これに対しては，利用端末にUSBメモリのような外部記憶媒体の接続を禁止する，または端末に外部接続ポート自体を設けない，さらに端末ごとにウイルス対策ソフトを導入するなどの対策を講じる必要があります．

5　情報の廃棄

　診療情報には非常に機微のある個人情報が含まれています．安全な利用および保護のための対策だけでなく，廃棄についても安全性を確保したうえで適切に行わなければいけません．運用規程において，不要となった患者情報を含む媒体などの廃棄の手順と方法のルールを明確にしておくことが重要です．

　データや機器自体の廃棄を行う場合は，専門的知識をもつ者により適切に廃棄される必要があります．データが残存し，読み出し可能な情報がないことを確認して，データが復元されないような措置をとるべきです．機器類のハードディスクにあるデータを電磁的に消去するだけでは十分とはいえず，機器類の物理的破壊，焼却，溶解などの方法によりデータの復元や再利用が不可能な状態にして廃棄することもあります．

　なお，電子データや情報などの形のないものは「破棄」，機器や端末，CD（DVD），紙の文書などの形のあるものは「廃棄」に用語を区別することができますが，ここでは「廃棄」で統一しています．

（石井瑞樹）

参考文献
1) 岡村敏弘：医療情報の保護法理と診療録の法的性質．北海道歯科医師会誌，第61号：1-4，2006．
2) 辻村みよ子：個人の尊重と公共の福祉［基本法コンメンタール―憲法―］．第4版，日本評論社，東京，1997，69-70．
3) 樋口範雄，山本隆一：医療における個人情報保護の歴史と背景［医療の個人情報保護とセキュリティ―個人情報保護法とHIPAA法―］．初版，有斐閣，東京，2003，2-24．
4) 野中俊彦，江橋　崇：憲法判例集．第8版，有斐閣，東京，2001，76-77．
5) 高橋則夫：秘密漏示［基本法コンメンタール―改正刑法―］．第2版，日本評論社，東京，1999，174-176．
6) 井田　良：刑法各論．第1版，弘文堂，東京，2002，54-57．

7) 大谷　實：医療行為と法．新版補正第 2 版，弘文堂，東京，1997，52-54．
8) 高田利廣：事例別医事法 Q&A．第 4 版，日本医事新報社，東京，2006，186-187,196-197,200-203．
9) 前田達朗，稲垣　喬，手嶋　豊：医事法．初版，有斐閣，東京，2000，270-271．
10) 佐久間　修：医療情報と医師の秘密保持義務［現代医療と医事法制］．第 1 版，世界思想社，東京，1995，46-47．
11) 吉田良夫：個人情報管理の急所．初版，中央経済社，東京，2004，105-106．
12) 小林洋二：個人情報保護法と患者の権利．ジュリスト，1253 号：62-63，2003．
13) 岡村久道：個人情報保護法の知識．第 5 版，日本経済新聞出版，東京，2021，24-79．
14) 歯科衛生士の倫理綱領
　　https://www.jdha.or.jp/pdf/aboutdh/ethics_jp.pdf
15) 厚生労働省個人情報保護委員会：医療・介護関係事業者における個人情報の適切な取扱いのためのガイダンス平成 29 年 4 月 14 日（令和 4 年 3 月一部改正）
　　https://www.mhlw.go.jp/content/000681800.pdf
16) 厚生労働省：医療情報システムの安全管理に関するガイドライン
　　https://www.mhlw.go.jp/shingi/2010/02/dl/s0202-4d.pdf
17) 個人情報保護委員会：個人情報の保護に関する法律についてのガイドライン（仮名加工情報・匿名加工情報編）
　　https://www.ppc.go.jp/personalinfo/legal/guidelines_anonymous/
18) 人を対象とする生命科学・医学系研究に関する倫理指針ガイダンス　令和 3 年 4 月 16 日（令和 4 年 6 月 6 日一部改正）lifescience.next.go.jp/files/pdf/n2330_01.pdf．
19) 厚生労働省：医療情報システムの安全管理に関するガイドライン　第 5.2 版（令和 4 年 3 月）（https://www.mhlw.go.jp/content/10808000/000936160.pdf）

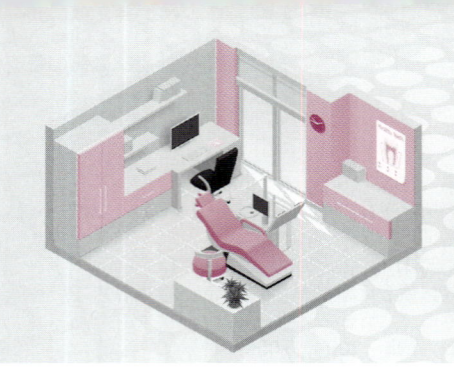

CHAPTER 5
医療事故・医療過誤・医事紛争防止のポイント

Ⅰ　医療事故，医療過誤，インシデントとは

1　用語の定義について

　医療安全管理に関連して，医療事故，医療過誤，インシデント，ヒヤリ・ハット事例等の用語の定義，概念を理解しておくことは大切です．厚生労働省は，『リスクマネージメントマニュアル作成指針』[1]でこれらの用語の定義を示しています（図5-1）．このように，広義の医療事故の定義では，医療の場で生じた患者のみならず医療従事者にも発生したすべての事故を含みます．**ヒヤリ・ハット事例**は**インシデント**ともよばれ，その事象が有害に至らずにヒヤリとしたり，ハッとしたりした

1　医療事故
　医療に関わる場所で，医療の全過程において発生するすべての人身事故で，以下の場合を含む．なお，医療従事者の過誤，過失の有無を問わない．
　ア　死亡，生命の危険，病状の悪化等の身体的被害及び苦痛，不安等の精神的被害が生じた場合．
　イ　患者が廊下で転倒し，負傷した事例のように，医療行為とは直接関係しない場合．
　ウ　患者についてだけでなく，注射針の誤刺のように，医療従事者に被害が生じた場合．
2　医療過誤
　医療事故の一類型であって，医療従事者が，医療の遂行において，医療的準則に違反して患者に被害を発生させた行為．
3　ヒヤリ・ハット事例
　患者に被害を及ぼすことはなかったが，日常診療の現場で，"ヒヤリ"としたり，"ハッ"とした経験を有する事例．
　具体的には，ある医療行為が，（1）患者には実施されなかったが，仮に実施されたとすれば，何らかの被害が予測される場合，（2）患者には実施されたが，結果的に被害がなく，またその後の観察も不要であった場合等を指す．

図 5-1　厚生労働省による用語の定義
（厚生労働省 HP．リスクマネージメントマニュアル作成指針[1] より抜粋）

ことをいいます．例えば，医療事故が起こりそうな状況に事前に気がつき，それが実施されなかったことで患者や医療従事者に具体的な被害がなかった場合や，実施されたが幸いに具体的な被害がなかった場合がヒヤリ・ハット事例に該当します．

鈴木[2]は歯科衛生士へのアンケート調査から，「96％の歯科衛生士がヒヤリ・ハット事例を体験し，そのうち体験回数が4回以上であるとの回答は過半数である」と述べています．そのなかでリスクを予測することについては65％の歯科衛生士が可能であると回答し，その方法については，①危機管理意識の徹底（リスクマネジメント），②技能習熟，③院内コミュニケーション，④業務量・労働力の適正化の4つであり，その対応策については，情報の共有，コミュニケーションをとること，としています．

安全の確保やリスクマネジメントは，医療の世界のみならず，すべての職域分野にわたって世界的規模で取り組まれており，用語の定義・用法はもちろん概念に至

COLUMN 11 アクシデント，インシデント，ヒヤリ・ハット

本書では，「アクシデント」と「インシデント」という言葉については，あくまで医療安全対策に役立つものという観点から区分しています．「アクシデント」は，いわゆる医療事故で身体（健康）傷害に至った場合です．「インシデント」は，わが国においては，いわゆるヒヤリ・ハット事例，ニアミス事例ということで，エラーはあったけれども途中で発見される等の過程を経て，身体（健康）傷害に至らなかった場合をインシデントとよんでいる例が多くなっています．英語本来の意味をたどると，傷害を及ぼした事例と及ぼさなかった事例を併せてインシデントとなりますが，わが国の報告制度においては「アクシデントレポート」，また「インシデントレポート」として両者を区分して扱うことが多いため上記のような定義をしています．

なお，「医療事故」は，過失の有無を問わず，医療現場で患者の身体あるいは精神的な苦痛や傷害が発生した事故のすべてをいいますが，これに対し「**医療過誤**」は，医療事故のうち医療従事者に法的な過失が認められた結果をいいます．また，「**医事紛争**」とは，医療現場における医療事故あるいは医療行為や医療費等に関する患者のクレームで紛争が起こることで，医療訴訟に発展する場合と，訴訟に至らずに示談となる場合があります．これらの概念は，複雑に重なり合っている部分がありますが，わかりやすい図として植松[3]の図を示します．

（尾﨑哲則）

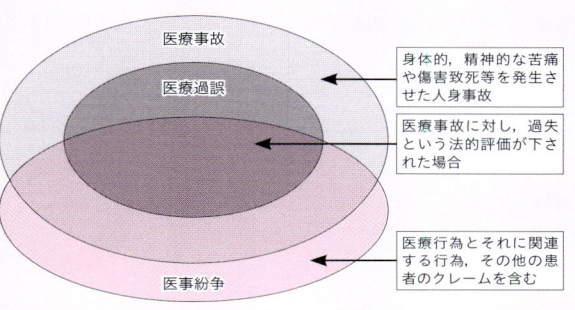

医療事故・医療過誤・医事紛争の概念図（植松[3]を改変）

るまで時とともに変化しているので，常に新しい情報を入手しておく必要があります．なお，英語のaccidentには"偶発的な，不可抗力の"，incidentには"因果のある"という意味もありますので，海外で用いる場合には注意が必要です．

2　医療事故をどう捉え，どう対応するか

❶—リスクに関する考え方

すべての環境には，図5-2に示すように"明らかな安全"，"明らかな危険"，そして"安全か危険か不明"な部分が存在します．医療の"不確実性"（p.8参照）により"明らかな安全"はほとんど存在しませんが，これに対してはそれが本当に明らかに安全かどうかを常に確認し，"明らかな危険"に対しては危険因子を排除し安全につながるようマネジメントすることが大切です．ここで大事なことは，"安全か危険か不明"なグレーゾーンへの対応です．明らかに安全といえない限りこのグレーゾーンは危険であるという認識をもつ必要があります．

❷—ハインリッヒの法則

米国の損害保険会社の技術・調査部長のH.W. Heinrichは労働災害を統計学的に調査した結果，330件の事故を分類し，「重大なアクシデント：軽微なアクシデント：ヒヤリ・ハットの割合は1：29：300である」ことを発表しました（図5-3）．これは重大な事故が1件あったら，その背後には29件の軽微な事故と300件の"ヒヤリ・ハット"が起こっているということを示しています．この法則から，安

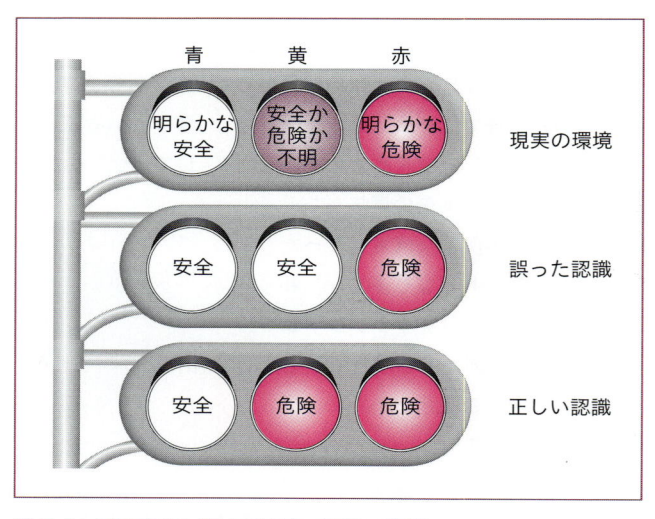

図5-2　医療安全に関する現実の環境と認識
信号機をイメージして，上段が現実の環境とすると，中段は誤った認識で，正しい認識は下段となる．

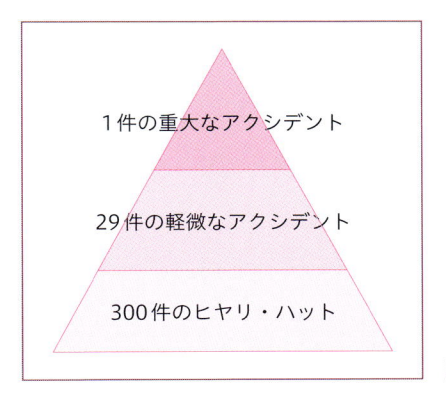

図5-3 ハインリッヒの法則

全管理には事故を分析するのみならず，事故に至る前のヒヤリ・ハットを分析してその因子を減らしていくことで結果的に事故のリスクを減らすことが必要になるのです．このような考えが基となり，ヒヤリ・ハットを報告し，それを分析して再発防止を図ることが重大なアクシデントを未然に防ぐという考え方が生まれました．

（木尾哲朗）

❸―歯科衛生士が担うリスクマネジメント

医療事故は起こさないことが理想ではあるものの，人間のミスやエラーを完全に排除することは難しいのが実情です．そのため，万が一，医療事故が起こった場合に診療所全体で取り組むべき問題として捉え，対応することが求められます．医療安全における**リスクマネジメント**のプロセスを，図5-4に示しています．

1）リスクの把握

診療室内で考えられるリスク把握で重要なのが，情報収集です．その際に有効なツールが"**インシデントレポート**"です．インシデントレポートを振り返ることにより，起こりうる問題を整理します．また，医療機器の添付文書や行政からの通知など，リスクマネジメントに必要な最新情報を収集・整理しておきましょう．

2）リスクの分析・評価

インシデントレポートにより集められた情報を用いて，原因と想定されるリスクを分析・評価します．分析手法には，「根本原因分析」，「m-SHEL」，「4M-4E」などがあります．

①根本原因分析（root cause analysis：RCA）

事故やトラブルに対して表面的な問題のみならず，根深く踏み込んで根本的な原因を探る方法で，医療や原子力，製造業等の分野において広く活用されています．インシデント事例に潜むエラーやシステム障害を解明するため，確認不足や思い込みなどの**ヒューマンエラー**を引き起こした根本にある原因を探していきます．

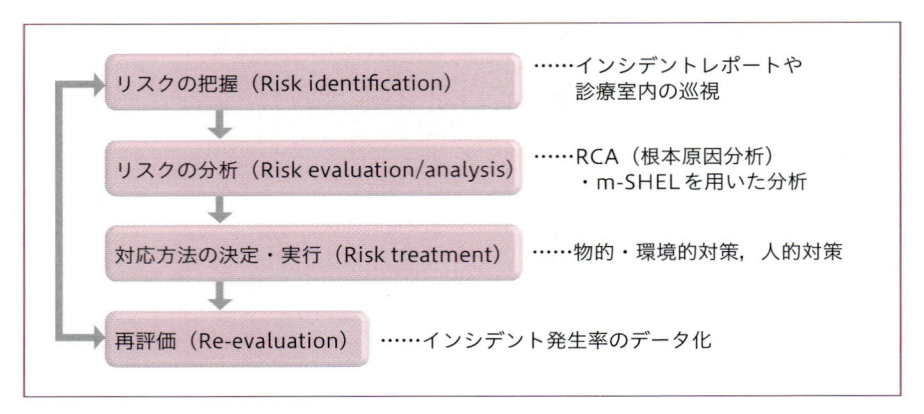

図5-4 リスクマネジメントのプロセス

- リスクの把握（Risk identification） ……インシデントレポートや診療室内の巡視
- リスクの分析（Risk evaluation/analysis） ……RCA（根本原因分析）・m-SHEL を用いた分析
- 対応方法の決定・実行（Risk treatment） ……物的・環境的対策，人的対策
- 再評価（Re-evaluation） ……インシデント発生率のデータ化

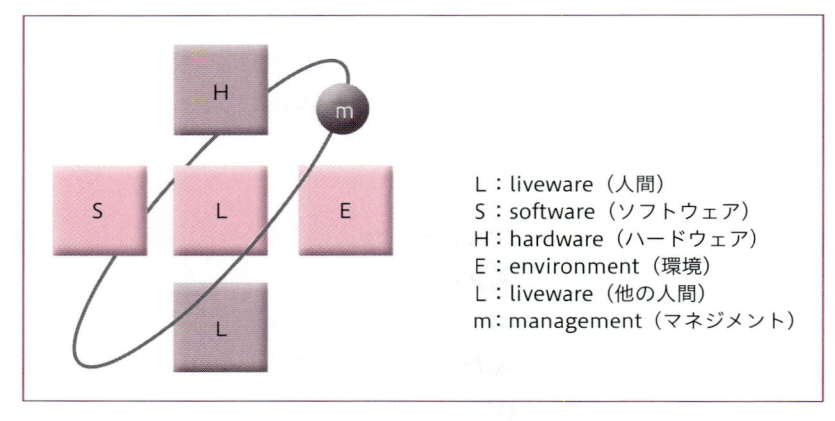

図5-5 m-SHEL
L：liveware（人間）
S：software（ソフトウェア）
H：hardware（ハードウェア）
E：environment（環境）
L：liveware（他の人間）
m：management（マネジメント）

（河野龍太郎：医療におけるヒューマンエラー なぜ間違える どう防ぐ 第2版．医学書院，東京，2014.[4]）

② m-SHEL

ヒューマンファクター工学[*]のモデルの1つで，ソフトウェア（S：software），ハードウェア（H：hardware），環境（E：environment），当事者（L：liveware），当事者以外の人間（L：liveware）の頭文字をとって SHEL とし，さらにマネジメント（M：management）を加えて，m-SHEL としています．考えられるリスクの原因を，4つの要因に当てはめて可視して，分析していきます（図5-5）．

③ 4M-4E（p.131 参照）

3）対応方法の決定・実行

リスクの把握と分析に基づいて，エラー防止のための対応策を決定していきます．これまでの手順を修正・変更する場合には，安全確認のために有効なステップは何かを検討し，時にはストレス要因となりうる不要なステップは省くなどの対応が必要となります．

[*]ヒューマンファクター工学
人間の特性を考慮してシステムを設計し，運営するという安全の考え方．

4）再評価

実施した対応策が十分機能しているかを評価し，改善すべき点があれば，さらなるリスクマネジメントへとつなげていきます．

（小原由紀）

❹―インシデントレポートと分析

ハインリッヒの法則により，アクシデントのみならずヒヤリ・ハットも重視されるようになりました．平成19年の改正医療法では，無床診療所においても医療安全管理が義務化され，そのなかに**インシデントレポート**の提出と分析が義務づけられています．インシデントレポートは，インシデントに関わった当事者のみならず，そのインシデントを見たり聞いたりした者は誰でもが報告書を提出します．この際大事なことは，インシデントレポートを提出した者が提出したことを理由に不利益な取り扱いを受けないようにすることです[5]．また，この報告制度の目的は原因を追究して再発を防止し，最終的には"**医療の安全**"を図ることにあり，責任追及のためではありません．もし，責任追及のために報告書を利用するとかえって報告がなされなくなり，制度自体が破綻します[6]．インシデントレポートが義務づけられているにもかかわらず，従事者全員に浸透しきれないのは，その趣旨や目的が誤解されていることにも一因があるので十分な理解が必要です．

インシデントとアクシデントの分析は，①事象の整理（何がどのような過程で起こったか？），②問題点の抽出（何がどのような過程で起こったか？），③背後の要因の探索（なぜ起こったか？），④対策案の列挙（どう対応するか？），⑤実施する対策の決定（どう対応するか？），⑥対策の実施と評価（どう対応するか？），⑦対応の効果の評価（対応をどう評価するか？）の順で行います[6]．そして個々の事象について院内スタッフで情報共有するとともに，集積された事例を類似事例の未然防止に活用することが大事です．

（木尾哲朗）

❺―ハード面のエラー抑制

「人間はエラーやミスを起こすものである」ことを前提に，医療機器自体つまりハード面からエラーを未然に防ぐための対策として，**フールプルーフ**や**フェールセーフ**の概念があります．

1）フールプルーフ（fool-proof）

たとえ誤った操作をしても，危険にさらされることがないような安全対策の仕組みです．

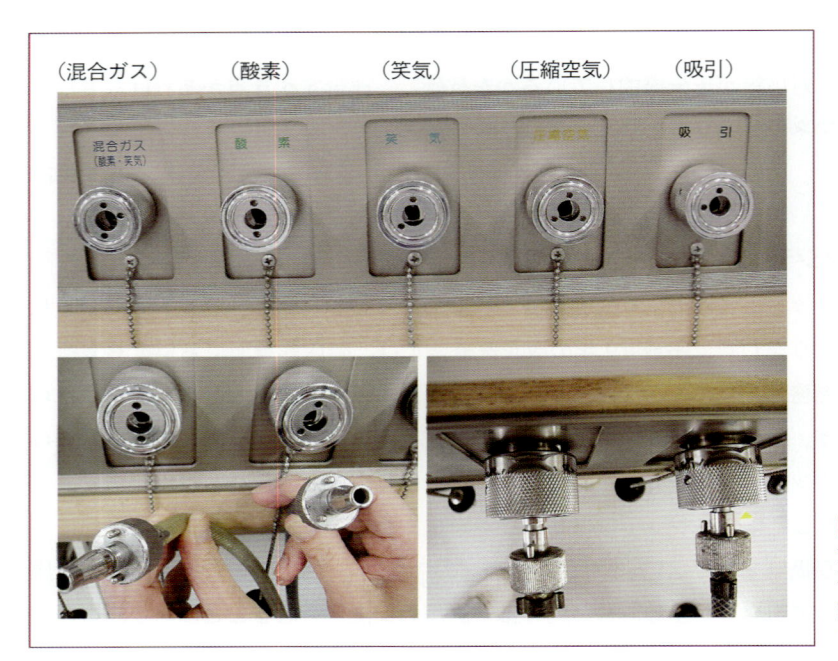

図5-6 フールプルーフの例（笑気吸入鎮静器・酸素吸入器）
孔の位置が異なるため，間違って接続することがないよう設計されている．

> 例）笑気吸入沈静器は，ガス供給に誤りが生じないように，ホースのプラグのピンと差し込み孔が異なった設計になっている．そのため誤って別のプラグを挿入しても接続できないために，操作者が誤りに気づくことができる（図5-6）．

2）フェールセーフ（fail-safe）

操作ミスや誤作動が起こったとしても，機器が危険を察知し，自動的に次の操作を停止し，事故に結びつかないようにシステム全体に安全装置を設置しておくことです．

> 例）歯科用ユニットは，周囲に障害物があると，スイッチを押しても作動しないように設計されている．

フールプルーフやフェールセーフは，正しく機能しているうちは，安全なシステムといえますが，どんなに安全なシステムが医療機器に整備されていたとしても，操作者の初歩的なミスには対応できません．人間が介在し，ハード面に関わる限り，ヒューマンエラーはいつでも起こりうることを忘れてはいけません．

（小原由紀）

Ⅱ コミュニケーションの重要性

1 医療のコミュニケーションとは

　医療安全のためには，良好な患者－歯科医療従事者の関係や医療従事者間の関係を構築することが大事です．そのためには，**良質なコミュニケーション**が必要となります．ここでいう良質なコミュニケーションとは，心で思っていることや相手が伝えたい情報を正確に把握し，かつ相手への気遣いを言葉や態度で示し，自分が伝えたいことを的確に伝えるコミュニケーションのことです．心の中でいかに相手に気遣いをもっていても，それが相手に伝わらないと不要なトラブルを招くことがあります．

　communicate の意味には，"伝える"という意味以外に"理解し合う，通じ合う"という意味があります．コミュニケーションの役割は，図 5-7 に示すように3つあります．第一にはメッセージを伝えること，第二はメッセージを受け取ること，そして第三は相互に理解することです．これら3つには，コミュニケーションの深さによりそれぞれの段階があります．メッセージを伝えることの段階には，一方的にこちらの話を伝える段階から相手が理解しやすいように伝える段階があります．メッセージを受け取ることの段階には，ただ漠然と聞く段階から相手の話を引き出すような積極的傾聴の段階があります．同様に，相互理解の程度も段階がありますが，正確な相互理解には，メッセージをきちんと伝えメッセージをきちんと受け取ることが大事です．そのためには，伝え受け取る情報が表面的のみならず，密な情報交換が必要になります．

　コミュニケーションで用いるメッセージには**言語メッセージ，準言語メッセージ，非言語メッセージ**があります．それぞれについて図 5-8 に示します．言語メッセージは発した"言葉そのもの"で，発した言葉を文字として残せるものです．準言語メッセージは"話し方"で，声の大きさ・高さ・音色・抑揚・間の取り方・リ

①メッセージを伝える
②メッセージを受け取る
③相互に理解する

図 5-7　コミュニケーションの役割

①言語メッセージ
　言葉によるメッセージ
②準言語メッセージ
　話し方によるメッセージ
③非言語メッセージ
　ボディランゲージによるメッセージ

図 5-8　コミュニケーションメッセージの種類と特徴

ズムや発音の明瞭さなどがあります．非言語メッセージは"ボディランゲージ"で，表情・視線・垂直的位置関係・水平的位置・接触関係などがあります．

　これら3つのメッセージのうち，言語メッセージで伝わる割合がどのくらいかというと，米国の心理学者A. Merabianは「言語：準言語：非言語の割合は7：38：55で言語メッセージが全体に占める割合は7％」としています．しかしながら，これは研究における特殊な環境下の場合で，一般的には言語メッセージが占める割合は35％程度とされています．

2　なぜコミュニケーションエラーが発生するのか

　"若者のコミュニケーション不足"は，以前から指摘されていますが，必ずしも今の若者が昔の若者よりコミュニケーションが下手になったというわけではありません．若者のコミュニケーションスタイルが，相手と直接対面して話すスタイルからICT（inter communication tool）を用いて話すスタイルへと徐々にシフトしていることは明らかなようです．それゆえ，今の若者はICTを用いたコミュニケーションは昔の若者よりはるかに上手であると同時に，直接対面してのコミュニケーションが不得手となっているのかもしれません．これは，時代の変化によるジェネレーションギャップともいえます．コミュニケーションでは，多くの情報や感情の交換を行い，理解すると同時に発信します．そこには必ずリスクが生じ，このリスクはいくら注意していても避けることはできず，コミュニケーションにはエラーがつきものとなります．

　この**コミュニケーションエラー**について，前項で述べたコミュニケーションの役割で考えてみましょう．"伝える"場合には，自分が頭の中で考えていることを言語や非言語のメッセージに変換する際に変換ミスや言い間違え，そして相手が受け取ったメッセージを変換して頭の中で考える際に変換ミスが生じることでコミュニケーションにエラーが生じる可能性があります．このほかにも，言語メッセージでは肯定的なメッセージを発していても非言語メッセージで否定的なメッセージを送るなど，異なるダブルメッセージを送るとコミュニケーションのエラーが生じます．コミュニケーションを受け取る際に，受け手は言語や非言語メッセージのみならず発信者の背景を読んだり察したりする際に，メッセージの読み違いによるエラーが生じる場合があります．

　また，社会言語学者の渡辺[7]は，メッセージを正確に伝えることを阻害する原則として，"言えない原則"と"言わない原則"があると述べています．"言えない原則"とは，伝えようとするメッセージを正確に伝えるにはその情報量が多すぎて，すべてを伝えきることは難しいということです．また，"言わない原則"とは，すべてを伝えるために細かなことまで確認して伝えると相手のフェイス（面子）を

脅かし円滑な人間関係を壊してしまうリスクがあるため，1つひとつのことを事細かに言おうとしないという原則です．このような理由により，相互理解するのはとても難しいことだということを知っておく必要があります．

3 医療コミュニケーションの三大コアスキル

奥田[7]は医療者のコミュニケーションで最も中心となるスキルである"**聴くスキル**"，"**質問するスキル**"，"**伝えるスキル**"を**三大コアスキル**とよんでいます（図5-9）．相手が何を望んでいるのか，どんな思いがあるのかを聴き，それについてお互いにより明らかにするために質問し，自分と相手とが円滑な議論を行えるように伝えることです．以下に奥田の提唱する三大コアスキルについて述べます．

❶―聴くスキル

相手の情報を知る際に役立つスキルです．

"聞く"とはただ聞いている状態ですが，"聴く"とは一生懸命に聴くことです．人は自分の話を聴いてくれない人の言うことを理解しようとはせず，自分が話をしっかり聴いてもらったときに相手の言葉に耳を傾けようとします．それゆえ，聴く際には先入観をもったり相手の話を遮ったりすることなくしっかりと最後まで聴くことが大事です．

傾聴法には，受動的傾聴と積極的傾聴があります．**受動的傾聴**とは，学生が教室で授業を受けるときのような状態を思い浮かべるとわかりやすく，具体的な方法は"沈黙と相槌"があります．一方，**積極的傾聴**は，相手の話を引き出すための方法で，具体的な方法には"促し・リピート・要約・言い換え・共感"などがあります．さらに共感の方法には**反映**（心に思ったことを伝える）・**正当化**（相手の気持ちを当たり前のことだと認めることを伝える）・**個人的支援**（自分が支援することを伝える）・**協力**（自分も協力関係にあることを伝える）・**尊重**（相手に敬意を示す）があります．

❷―質問するスキル

情報を明らかにするときや，確認する際に用いるスキルです．

> ①聴くスキル：相手の情報を知る
> ②質問するスキル：相手の情報を引き出す
> ③伝えるスキル：相手が受け取りやすい提案をする

図 5-9 医療コミュニケーションの三大コアスキル
（奥田弘美：メディカル・サポート・コーチング入門．チーム医療，東京，2003．）

質問する際には，何のために質問するかを考えて質問することが大事です．質問の目的は，相手の答えを知ることや新しい発見をするのみならず，相手の考えを深めさせることや自律的行動を促すこともあります．

　質問法には，相手が自由に答えることができる**オープン型質問**と，"はい"または"いいえ"で答える**クローズ型質問**とがあります．質問の初期には，オープン型質問を複数回用いると相手の言いたいことが大まかにわかってくるので，その後，焦点を絞るためにクローズ型質問を用いて回答や課題点を引き出すと有効な質問となります．

　質問する際に，肯定形で質問するか否定形で質問するか，また，未来形で質問するか過去形で質問するかを意識するとよいでしょう．これは，過去に生じたことを質問する際に，過去否定形での質問では「なぜ，○○ができなかったの？」という言い方になり，未来肯定形の質問では「○○を良くするためにはどうしたらよいと思う？」という言い方になります．これらは同じことを質問しているのですが，過去否定形で質問された相手は責められているというようなネガティブな受け取り方をするのに対して，未来肯定形で質問された相手は，前向きでポジティブな受け取り方ができます．過去よりも未来に目を向けるほうが，また，否定的な言葉を使わずに肯定的な言葉を使うほうが相手は真意を受け取りやすくなります．過去否定形質問は，未来肯定形で言い換えることができるので，日頃からトレーニングしておくとよいでしょう．

❸—伝えるスキル

　相手に情報を提供したり，提案したりする際に有効なスキルです．

　どんなに良い提案であったとしても，相手がいつも受け入れてくれるわけではありません．突然提案されても，相手は驚いたり拒絶反応を示したりすることがあるので，「私の意見を言ってもよいですか？」，「伝えたいことがあるので5分ほど時間はありますか？」というような枕詞を使って，相手の許可を得てから伝えると効果的です．

　主語を変える方法として，**ユー・メッセージ（You message）**を**アイ・メッセージ（I message）**に変える方法があります．ユー・メッセージは，「あなたは○○ですね」と相手が主語になる言葉です．ユーが主語になると，相手は自分が断定されたり評価されたりお世辞を言われたりしているように受け止められることがあります．それに対してアイ・メッセージは「私はあなたが○○なので嬉しい」というように自分がどう思ったかを伝えるので，誤解や色眼鏡なしに受け止められる安全な言い方です．

〔木尾哲朗〕

Ⅲ　よくあるインシデント，アクシデントの事例

1　はじめに

　歯科治療の多くは，削ったり，切ったり，除去したりと，直接的に口腔内組織と接触する外科系の診療科に分類されます．また，処置内容は義歯の調整などのやり直しがきく可逆的な処置と，抜歯などのやり直しがきかない不可逆的な処置に分けられます．歯科治療は，この不可逆的な処置が多くあり，医療事故が発生しやすい素地があり，患者に対する事故のみならず，針刺し事故など医療従事者自身が被る事故も少なからず起こっています．そのために，処置行為および医療環境の医療安全には十分すぎるほどの気を使わなければなりません．

　また，身体には被害が及んではいないにしても心的や感情の行き違いによる患者からのクレームというのがあります．このなかには，歯科治療特有の審美性の主観の違いも含まれます．近年では，こうしたクレームが大変多くなってきているようです．その背景には，情報過多による患者ニーズの高まり，社会変化に伴う信頼関係の希薄化や権利意識の高揚，契約社会の浸透などがあると思われます．また，最近では，訪問診療が歯科臨床の一分野となってきましたが，今後ますます需要が増えていくと思われます．患者の多くは，有病者あるいは要介護者です．訪問診療にあたっては感染防止などの医療安全の徹底と，全身状態の把握のための知識が必須となります．また，訪問診療は歯科単独で行うことはできません．医科の主治医，看護師，介護士，ケアマネジャー，さらに家族も含めてすべての職種のチーム医療で取り組んでいきます．連携を十分にとって事故がないように対処していかなければなりません．

　では，このような医療事故（アクシデント）を起こさないようにするにはどうしたらよいでしょうか．

　ここでは，事故の事前防止および事後にスタッフとしていかに対処するかという観点から，日常の診療現場で歯科医師あるいは歯科衛生士によくある事例をいくつかみてみましょう．

2　インシデント，アクシデントの事例

事例1　名前違い

前回までのカルテの歯式と口腔内が違うので，確認し直したら，同姓の別の患者だった

　患者には同姓の人がいます．この場合，待合室の患者を診療室に呼び入れるときに名字だけで呼んでいたのが原因でした．

　同姓の患者がいる場合は名前まで呼ぶことが大事です．習慣づけるには，日頃から姓名で呼ぶことが望ましいでしょう．また，カルテ違いにも気をつける必要があります．治療にとりかかる前には再度カルテの名前を確認して，患者と一致することを確認します．口腔内状態が似ている場合に，気がつかずに治療すれば医療事故となります．確実な方法は，毎回カルテを持って患者の正面に立ち，その日の体調を問診しながら本人であることを再確認することです．

事例2　問診の未実施

以前からの患者なので，問診をせずにいつものように診療していたら，2カ月前に虚血性心疾患で救急搬送されていたことが診療後にわかった

　いつも診ている患者だからと安心して，今までと同じ対処で問題ないと判断したことが間違いでした．

　問診は，患者の現在の状態を知るために大変重要です．特に問診項目としては既往歴，現病歴，服用中の薬剤，アレルギー有無などは欠かすことのできないものです．頻繁に来院する患者でも，1日1日体調は変化すると考えるべきで，診療前には必ずその日の体調を確認しなくてはなりません．また，久しぶりに来院した患者を治療する場合，服用している薬剤が変わっていたり，新たに内科的疾患を発症している場合がありますので，問診は毎回することが基本です．特に高齢の患者や外科的処置をする場合は注意を要します．問診をして重要だと思われる項目は，カルテの見やすい場所に注意書きをしておき，院内で情報を共有することが大切です．

　問診において，もう1つ注意すべきことがあります．それは問診をする場所です．患者の既往歴，現病歴には人に知られたくない病名もあります．病名を確認する場合は，個人情報でもあることを認識して他の人に聞かれないように気配りをしないといけません．何気なく受付で既往歴の確認をしてトラブルになったケースもあります．

事例3　部位間違い

歯科衛生士が，下顎右側臼歯部に行うはずの SRP を，間違って下顎左側臼歯部に行ってしまった

　部位を指示されていたにもかかわらず，左右を間違った単純ミスでした．

　部位間違いは，このほかにもエックス線撮影，う蝕処置，抜歯，外科処置等で起こりやすいものです．もし，間違いに気づかずに処置をしてしまうと医療事故となります．

　防止するには，部位を確認したら文書に記録することが効果的です．また，実際の口腔内で指差し確認をするのもよいでしょう．処置内容が不可逆的なものであれば，始める前にカルテで再確認するという習慣をつけておきたいものです．

事例4　治療用器具（ファイルなど）の破折

根管治療をするファイルが根管の中で破折してしまい，除去不可能な状態となった

　根管治療では，歯科医師の誰もが1回は経験するほど起こりやすい事故です．ファイル等の使用の前には劣化していないか確認することが大事ですが，新品の場合でも偶発的に折れることもあります．治療用小器具の無理のない使用方法の習得をすることが大事です．また，破折してしまった場合は，破折片を除去するようにしますが，困難な場合は患歯の状況をよく観察して，以後の処置について患者に説明することも後のトラブル防止にとっては重要となります．

事例5　インレー，クラウンなどの誤飲（誤嚥）

インレーの試適をしていて，誤って飲み込ませてしまった

　食道に入ったものを誤飲，気管に入ったものを誤嚥といいます．誤嚥の場合，多くは咳嗽（咳）反射により咳込みます．

　このほかにも，ファイル，クラウン，修理中のクラスプ，抜去歯，余分な印象材等の誤飲（誤嚥）などもあります．水平位診療で起こりやすく，防止策として，ファイル等は落下防止のチェーンをつけるとか，口腔内にガーゼを1枚置く方法があります．インレー，クラウンの補綴装置の試適には，下顎の咬合位を考えると座位での診療が推奨されます．診療位に関係なく口腔内で落下のおそれのある場合は，そのことを強く意識して診療にあたり，患者にも注意を喚起して行うべきです．

　万が一事故が起こったら，まず口腔内にないことを確認して，患者に咳き込んでもらい，洗面所で嘔吐してもらいます．それでも見あたらない場合には，すぐに近くの内科などでエックス線撮影をしてもらいます．その場合，飲み込んだものを医師に説明するために，医院にある同様の修復物を持参するとよいでしょう．位置的に摘出可能であれば内視鏡で摘出してもらいますが，消化管に入っているような場合は数日経過を観察して，排出されるまで追跡確認します．

事例6　タービンによる舌および頬粘膜の損傷，皮下気腫

タービンで下顎臼歯部の支台歯形成をする際に舌を損傷してしまった

　支台歯形成をする場合，下顎では舌を，上顎では頬粘膜を損傷することがあります．防止するためには，ミラーなどの器具を使って十分な軟組織の圧排をします．術者と補助者の圧排技術のコンビネーションが必要です．

　また，タービンで埋伏歯の削除などを行っていて，皮下気腫を誘発することがあります．埋伏歯と被覆軟組織の状況など術野の判断が重要です．

事例7　抜歯時の軟組織傷害および神経損傷

上顎臼歯部を抜歯していて，ヘーベルが滑り軟口蓋を損傷した

　抜歯に使うヘーベルは，先端が鋭利で，力加減で滑らせると軟口蓋，口腔底，頬粘膜等を損傷し，大量出血などの重大事故につながる可能性があります．口腔解剖に精通し，抜歯時には誤操作がないように手順の確認を怠らないようにします．

　最近よく報告されているのが，インプラントによる事故です．そのなかでも神経麻痺が最も多く，無理な植立が主な原因と思われます．インプラントの植立に際しては慎重かつ十分に症例分析を行う謙虚な姿勢が大事です．

事例8　針刺し事故

根管治療のファイルの受け渡しを行っていて，使用後のファイルで指を刺してしまった

　医療事故は，広義には術者サイドに起こったものも含まれています．注射針，ファイル，リーマー，スケーラー，探針等，診療室には先端が針状の器具が多数存在します．特に使用後の器具に関しては，汚染されていますので感染源と認識して対処することが必要となります．

事例9　薬液による軟組織損傷，衣服の損傷

前歯の根管治療で使う薬液で口唇を損傷してしまった

　根管治療薬が治療中に口腔軟組織に接触して，炎症を起こすことがあります．また，治療後の仮封が不完全で漏出して損傷することもあります．貼付薬のなかには劇薬もあり，口腔内の軟組織に触れないようにすることが重要です．また，水平位で治療を行う場合，それらの貼付薬の受け渡しをするとき，顔面の上を通過させることは厳に慎まなければなりません（他の器具の受け渡しも同様）．

　また，薬液が飛び散って衣服が変色することもありますので注意が必要です．

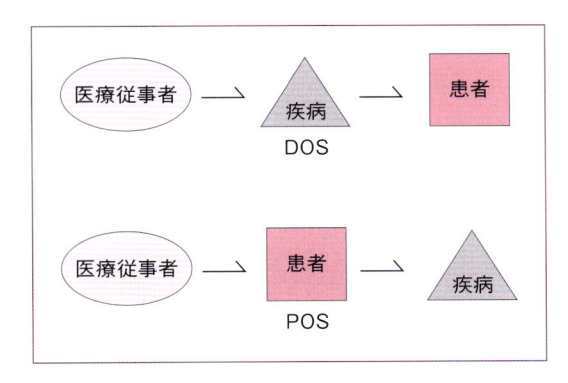

図 5-10　POS の考え方
医療従事者が疾病を治療するときは，患者を通して疾病を診る POS の考え方が必要である．

3　クレームを背景としたトラブルを防ぐには

　いくつかの例をみてきましたが，医療事故（アクシデント），ヒヤリ・ハット（インシデント）のほかに，最近多くなっているのが患者の**クレーム**です．クレームから**医事紛争**へと発展することも発生しています．その原因の多くは，コミュニケーション不足から起こっています．

　現代の医療は，患者の考えや生活背景を十分考慮して，「患者を通して疾患を診る」という **POS**＊の概念の沿った治療でなくてはなりません（図 5-10）．そうでなければ，その治療がどんなに優れていても患者にとっては負担となります．医学的に正しいことが，必ずしも患者にとって正しい医療とはなりえないことを理解しないといけません．

　また，歯科医療は患者のライフステージにも配慮する必要があります．加齢による身体生理機能の低下などを十分考慮した口腔機能の回復を図るようにします．

　医療従事者の思いだけで治療を進めるのではなく，患者と一緒になって治療を進めていく考え方が大事です．そのためには，患者との信頼関係を深めて，十分なコミュニケーションをとるようにします．そうすることがトラブルを防ぐ最善の方法となります．

（笠井史朗）

＊POS
Problem（Patient）Oriented System の略語で，問題指向体系といい，患者を中心に考えていくシステム．DOS とは Diagnosis（Doctor）Oriented System の略語で，疾患指向体系といい，疾患を中心に考えていくシステム．

Ⅳ　具体的な防止策

1　意識の可視化と場の可視化

　医療事故や**ヒヤリ・ハット事例**が起こった場合，「今度からは気をつけて」とい

うことだけでは根本的な解決にはなりません．

　医療事故，ヒヤリ・ハット事例は，言い換えれば人間が起こす**ヒューマンエラー**であるといえます．そこで，例えば，診療機器では**フールプルーフ**の理念に沿ったタービンを回転させると診療台の背板が動かなくなる仕組みや，**フェールセーフ**として，根管孔拡大器に設定以上の圧力がかかると逆回転してそれ以上進まなくなる機器も開発されています．

　このようなハードにおける安全性の一方で，重要なのは，機械ではなく人が関わらなければいけない診療分野における安全性の確保です．そのための具体策として，医療の"**可視化**"があります．

　可視化には，**意識の可視化**と**場の可視化**という考え方があります．意識の可視化は，頭の中で考えていることを目で確認できる形にするということです．わかりやすい例をあげると，必要な品目をメモに書いて買い物に行くとか，ノルマの達成を棒グラフで表してみたりすることです．場の可視化は，ある区域では従うべきルールに沿って行動するということです．交差点の色分けされた右折レーンなどがよい例です．そうすることで自動的に情報を共有し，ルールに従った安全な行動をとることができます．

　医療現場の意識の可視化で最も効果的なものに**基本作業のマニュアル化**があります．それまで漠然とやっていた業務内容を整理してマニュアルを作成し，情報を共有し医療の質や医療安全のレベルの標準化をします．例えば，初診の患者に必要な問診事項，消毒滅菌の手順，診療時の準備，資料の分類法，終業時の清掃などです．マニュアル化することにより日々の行動を具体的にイメージすることができ，確実な作業情報の伝達が可能となります．

　できあがったマニュアルはスタッフミーティングを開いて，作業の流れ，効率性，安全性についての確認をします．大事なことはマニュアルは変化するものであるということです．新しい器材，新しい技術，新しい概念を導入するたびにマニュアルの改訂をしないといけません．定期的に医療安全のスタッフミーティングや診療についての勉強会を開き，現状の不備な点や新しい医療安全の知識についての研修を行うことが重要です．

　意識の可視化でもう1つ効果的なこととして，**伝達内容の文字化**があります．伝達内容は口頭で伝えるとともに文字にして示すことでうっかりミスを減らすことができます．例えば，患歯の部位を知らせるときに，歯式を書いて渡すというのがよい例です．

　場の可視化は，滅菌済みの器材と使用後の器材の置き場を色分けして清潔・不潔域の区別をはっきりさせたり，診療室内の診療の動線を考えてある区域では一方通行にしたり，エックス線管理区域ではそのルールに沿って行動するようなことが考えられます．

その他に，何か気にかかることがあれば，小さなことでもスタッフミーティングなどで取り上げ，安全な医療ができるように改善することは大変重要です．

診療技術にしても診療器材にしても日進月歩の進化をしており，以前困難であったことがより安全で効率的に行えるようになっています．また，**AED**（自動体外式除細動器）の普及など身体的な緊急事態に対してのトレーニングも機会を捉えて全員で研修をすることは大切なことです．

2　インシデントレポートの実際例

以上のような予防策をとってもヒヤリ・ハット事例が発生した場合，**インシデントレポート**を活用することが大変効果的です．インシデントレポートを分析して，発生原因を特定し，対応することができます．

インシデントレポートでは，発生日時，患者情報，発生状況，結果について客観的に記載します．

インシデントレポートの分析ツールとしてよく用いられるものに**4M-4E**と**m-SHEL**（p.118参照）があります．どちらも原因を要素に分解して対策を講じるものですが，ここでは4M-4Eを使って例について考えてみたいと思います（**表5-1**）．

> 4M-4Eの4Mは原因要素を表す
> 　Man：人的要因（身体，心理，知識，技量）
> 　Machine：機器要因（機能，品質，強度，安全構造）
> 　Media：環境要因（労働条件，施設）
> 　Management：管理的要因（組織，手順，規定）
> 4M-4Eの4Eは対応策を表す
> 　Education：教育，知識，技量，意識
> 　Engineering：機器工学，警報，多重安全構造設計
> 　Enforcement：規定，手順の遵守
> 　Example：規範

4M-4Eで分析すると"左右を間違えた"というだけの事象のなかに，実は複数の原因となる問題点があることがわかります．

1）問題点
　(1) 問診を歯科医師自身がとっていないこと．
　(2) 問診をとった歯科衛生士と診療の補助についた歯科衛生士が違うこと．
　(3) パノラマエックス線写真が左右逆に表示されていたこと．
　(4) 部位の伝達をするときに口頭で告げていたこと．
　(5) 麻酔の前に患者に再確認しなかったこと．

表 5-1　4M-4E の例

　⑧埋伏歯抜歯の部位を間違えて⑧に局所麻酔をしてしまった．歯科医師はパノラマエックス線写真が水平反転で表示してあったことに気がつかず，患者の指摘でわかった．主訴を聞いた歯科衛生士は，診療を担当した歯科衛生士に間違わずに部位を告げたという．職場は比較的大きな規模で，歯科衛生士は担当制をとっていなかった．

4M / 4E	MAN	MACHINE	MEDIA	MANAGEMENT
	部位の確認が不十分だった．	パノラマの左右を区別するマークがわからなかった．	主訴を聞いた者と担当した者が違っていた．	処置前の確認をしていなかった．
EDUCATION	問診は必ず歯科医師がとり，担当歯科衛生士は記録をとる．	左右の区別についての研修をする．	口頭で伝えるのではなく，部位を記録する．	医療安全についての院内研修を開催する．
ENGINEERING	部位がわかるように書式をつくる．	左右をはっきり区別できるようにカセッテにマークをつける．	部位を記録した様式がいつも確認できるようにする．	
ENFORCEMENT	SOAP 法でカルテ記載する．	エックス線写真の左下顎隅角部につけたマークを確認する．	歯科医師も歯科衛生士も担当制を徹底する．	処置に際して患者に部位の再確認をする．
EXAMPLE	問診時の手順についてマニュアルを作成する．	例を示し，周知するようにする．	予約制の見直しを行い，診療の効率を上げる．	診療に際しての確認事項の手順書をつくる．

2）防止策

（1）主訴部位がわかりやすい記載方式を決める．
（2）診療は担当医制とし，問診は歯科医師が行い，歯科衛生士が同時に確認する．
（3）パノラマエックス線写真には左右をはっきり区別するマークをつける．
（4）処置をする前には，患者に再確認をする．
（5）診療に関わる行動をマニュアル化し，共有する．

　インシデントレポートが医療事故やヒヤリ・ハットの発生を防止するために大変有効なように，同じようにクレームについても報告書を作成し検討することは，患者，医療者双方に良好な関係を築くことに役立ちます．

3　インシデントから学ぶ

　医療事故は自然に起こるものではありませんし，医療従事者の誰しもが患者のためを思って診療をしています．しかし，医療は人が行うもので，事故が起こるリスクは少なからずあるといってよいでしょう．医療事故には負のイメージがありますが，不幸にして起こった医療事故やヒヤリ・ハットから学ぶことができれば，医療従事者にとっては大きな共有財産ともなります．そして，そうした経験を踏まえて1つひとつのステップを謙虚に確実に進めていけば，安全で安心な医療を提供することは決して難しいことではありません．

（笠井史朗）

Ⅴ 歯科衛生士のインシデント，アクシデント事例と対応策

　歯科衛生士は，三大業務の歯科予防処置・歯科診療補助・歯科保健指導のほか，歯科材料や医療機器の管理，器具の洗浄・滅菌処理，受付など日々さまざまな業務を行っています．また，昨今，高齢や身体的・精神的な病気，障害等で通院が難しい場合は患者宅や介護施設等に訪問し，定期的に口腔健康管理を行います．

　歯科衛生士は患者に安心・安全な歯科医療を提供するため，日々進化する医療器具・医療材料を適切に扱い，事故が起こらないようにすることが大切です．そのためには事故を未然に防ぐこと，また，起きてしまった事故を再発させないことが重要です．

　もしかしたらインシデントがすでに起こっていたり，気づいていなかったりする可能性も考えられます．また，自分が起こしたインシデントは他の人も起こす可能性があります．そのため，スタッフ間で円滑なコミュニケーションをとり，新人からベテランの歯科衛生士まで正確な情報共有が重要です．ここでは，実際の事例から，事故が起きてしまった原因と具体的な対策を立て，現場で活かせるよう考えていきます．

事例1　患者衣服の汚染

印象採得時に印象材が患者の衣服に付着した

　歯科医師が，歯冠形成後に縮合型シリコーン印象材で印象採得することになった．歯科医師は歯面をエアで乾燥している間に歯科衛生士がディスペンサーに印象材カートリッジを装着し，続いてミキシングチップを装着して歯科医師に手渡した．歯科医師はハンドルを握って歯面に印象材を流そうとしたところミキシングチップが外れて患者の衣服を印象材で汚してしまった．

原因
1) 衣服の保護が十分でなかった．
2) 歯科衛生士はミキシングチップが確実に装着されているかを確認しなかった．
3) 歯科医師は歯面の乾燥に集中していたため準備状況を目にすることができなかった．

対策
1) エプロンを適切に付ける．エプロンで覆えない部分はタオルやひざ掛け等を使用する．
2) 印象材を少量押し出してミキシングチップが確実に装着されていることを確認する．
3) 万が一，衣服に歯科材料が付着した場合の対処を事前に説明する（申告があればクリーニング代をお支払いする）．

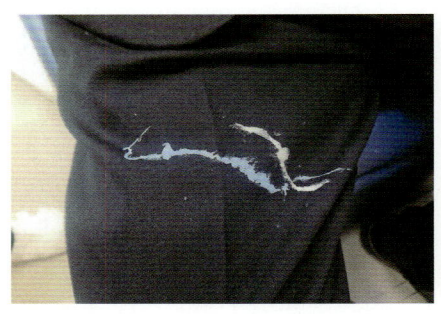

写真①-1
印象材が衣服に付着している．

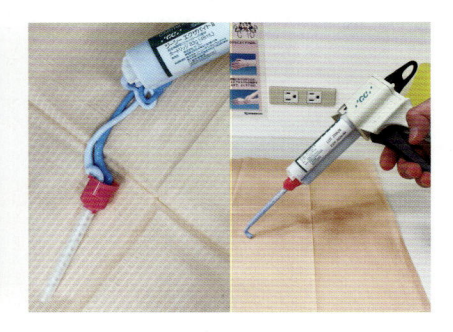

写真①-2
少量の印象材を押し出してミキシングチップが適切に装着されていることを確認する．

事例2　歯科用ユニット消毒薬の取り違え

誤った消毒薬で歯科用ユニット清拭をしたうえに，患者衣服に消毒薬が付着し変色した

　前の患者の診療後，歯科用ユニットおよび周辺の消毒，治療に必要な器具・器材の準備を整え，次の患者を案内した．診療は予定通りに終了し，次回の予約を取り，患者は帰宅した．翌日，同患者より担当医宛に連絡があり，「診療時に着ていた洋服の背中側が上下ともに漂白されていた．思い返すと，これまでの診療時に比べて椅子全体が湿っている感じがし，塩素臭もしていた」とのこと．聴き取りを行ったところ歯科用ユニット消毒用のスプレーではなく，印象採得後に使用する消毒薬が噴霧されていて，ペーパータオルでの拭き取りもしっかりできていなかったため，洋服の変色が起きたことがわかった．

　通常歯科用ユニット清拭はエタノールで行い，印象採得後は1%次亜塩素酸ナトリウム溶液を使用している．

原因
1) 実習生は歯科用ユニットの清拭にどちらの消毒薬を使用するのか認識が曖昧だった．
2) 2本のボトルの色と形状が類似していた．
3) 2本のボトルが歯科用ユニットの流し台の近くに並べて置いてあった．
4) 1%次亜塩素酸ナトリウム溶液だと思っていなかったので水拭きを行わなかった．

対策
1) わからないときは周りのスタッフに確認する．
2) 薬液の種類がわかりやすいよう，ボトルに内容液の名称を明記する．
3) 清拭用アルコールクロスに変更する等，形状を変更する．
4) 間違えそうなものは同じ場所に置かない．

写真②-1
通常時は各消毒薬の置き場所が決まっている．

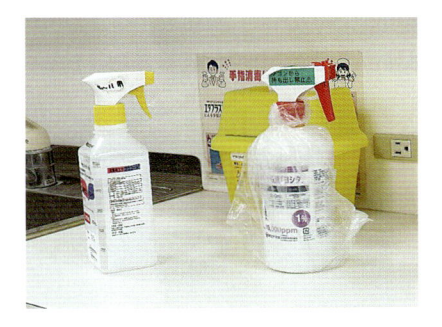

写真②-2
事例発生時は2本のボトルが歯科用ユニットの流し台の近くに並べて置いてある．

事例3　口腔清掃用具の破損

スポンジブラシのスポンジ部を飲み込みそうになった

　歯科訪問診療時，認知症患者の口腔衛生管理を行うため，スポンジブラシやその他清掃器具・器材の準備をした．認知症の程度は会話で協力が得られるが，背もたれのある椅子に座り，口を長時間開けていることは難しく，急な体の動きがある．そのため，歯科医師が体の動きをコントロールし，歯科衛生士が口腔衛生管理を行っている．患者はケアに慣れていて，声掛けをしてからスポンジブラシを使用し口腔衛生管理を始めた．スポンジブラシの汚れを水ですすぎながら繰り返し使用していたところ，口腔内から取り出す際に患者が急に口を閉じたためスポンジブラシのスポンジ部が残ってしまった．誤飲させないようすぐに患者に「飲み込まないでくださいね」と声掛けをし，口腔内を確認したところ舌にスポンジがあったため取り出した．

原因
1) 患者の当日の体調や覚醒状態が良好ではなかった．
2) 使用ごとのスポンジブラシの状態確認が不足していた．
3) 患者が口を閉じた時にスポンジブラシを慌てて引き抜いてしまった．
4) 歯科衛生士は患者が口腔衛生管理に慣れてきていたため，安全性を過信していた．

対策
1) 患者と介護者がいる場合には両者へ当日の体調や覚醒状態を確認する．
2) スポンジブラシは使用中に軸からスポンジが外れることがあることを常に認識し，水ですすいだ後は毎回状態を確認する．
3) バイトブロック等，開口を保持する器具を使用する．
4) 認知症患者は予測できない動きもあるため用心する．
5) 処置中は座位の場合，頭を固定し左右どちらかに傾け，誤飲しにくい角度にする．

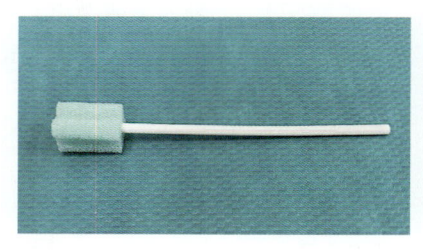

写真③-1
使用前のスポンジブラシ（軸は紙製）

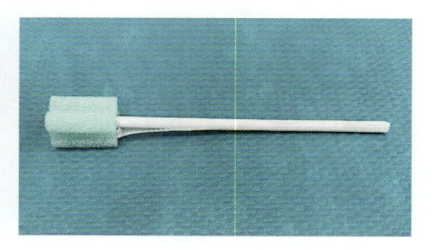

写真③-2
使用後のスポンジブラシ（スポンジ近くの軸が剥がれている）

事例4　ガーゼの紛失

処置後にガーゼカウントを行ったところ1枚足りなかった

　静脈内鎮静法下の両側抜歯準備の際にエックス線造影糸入りガーゼを5枚用意した．右側の抜歯後，止血のため抜歯窩にガーゼを保留，ガーゼカウントは行わずに左側の抜歯が開始された．このとき外回りの歯科衛生士がガーゼを5枚追加した．すべての処置が終了しガーゼカウントを行ったところ，1枚不足していることがわかった．口腔内，歯科用ユニット周辺，使用した感染性廃棄物を含め，すべて探したがガーゼは見つからなかった．

原因
1) 術者やスタッフ間で，ガーゼの使用状況を共有できていない．
2) 処置ごとにガーゼカウントが行われていない．
3) 処置部位が狭かったためガーゼがなくならないと思い込んでしまった．
4) 術者が反対側の抜歯に移行するのが早かったため，ガーゼカウントのタイミングがとれなかった．

対策
1) ガーゼの枚数を確認するためにメモ等で記載しておく．
2) ガーゼを出すごとに枚数をダブルチェックする．
3) スタッフ間でガーゼカウントの方法・タイミングを統一し，声をかけあう．
4) 静脈内鎮静法下のため患者の意識があり，飲み込む可能性があることに注意する．
5) ガーゼカウントの際は術者に協力を得て，必要であれば処置を止めてもらう．
6) ガーゼを重ねて複数枚使用した時は，重なっていないか確認する．
7) ガーゼが見つからない時はエックス線撮影で確認する．

写真④-1　エックス線造影糸入りガーゼ

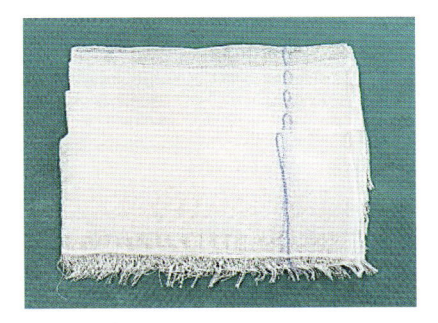

写真④-2　複数枚使用する際は重ならないよう1枚ずつ並べる．

事例5　在宅酸素療法患者のトラブル

チューブと火気の取り扱いについて注意を受けた

　歯科医師と歯科衛生士の2名が歯科訪問診療で在宅酸素療法をしている患者の処置を行っていた．治療途中でSpO$_2$（経皮的動脈血酸素飽和度）の数値が下がってきたため確認すると，ポータブルユニットの車輪で酸素チューブを踏んで屈曲させており，引っ張られて延長チューブ接続部が外れていた．急いで接続し直し屈曲を解除したところ，SpO$_2$の数値は回復したので治療を継続したが，患者の近くでアルコールトーチに火を点けようとして，歯科医師から注意された．

原因
1) チューブの位置を認識していなかった．
2) ポータブルユニットの導線が悪かった．
3) 歯科衛生士が在宅酸素療法中の火の取り扱いについて知識がなかった．

対策
1) 患者から繋がっているチューブ類の位置は治療前に適切な配置にする．
2) 可能な限り，機械類の導線や配置が重ならないようにする．
3) 治療中に機械を引き寄せるときは，チューブ類が引っ掛かっていないか等確認する．
4) 在宅酸素療法の注意事項についてスタッフ間で事前確認をする．
5) 在宅酸素療法時は，患者や酸素濃縮装置等の周囲2mに火気を置かない．

厚生労働省HP
https://www.mhlw.go.jp/stf/houdou/2r98520000003m15_1.html

（星川結香／石垣佳希）

参考文献

1) 厚生労働省リスクマネージメントスタンダードマニュアル作成委員会：リスクマネージメントマニュアル作成指針．(http://www1.mhlw.go.jp/topics/sisin/tp1102-1_12.html（2023/2/1 アクセス））
2) 鈴木温子：歯科医療現場におけるヒヤリ・ハット事例の研究．静岡県立大学短期大学部特別研究報告書，2003．(http://bambi.u-shizuoka-ken.ac.jp/tk/04tk/)
3) 日本歯科医療管理学会（編）：歯科医療管理．植松浩司：7章 医事紛争と処理．97-111，医歯薬出版，東京，2011．
4) 河野龍太郎：医療におけるヒューマンエラー なぜ間違える どう防ぐ 第2版．医学書院，東京，2014．
5) 井上 孝，片倉 朗：歯科医療安全と歯科医師臨床研修制度における具体的な対応について．日本歯科医師会雑誌 59（11），35-50：2007．
6) 日本医師会（編）：医療従事者のための医療安全対策マニュアル．2007．(http://www.med.or.jp/anzen/manual/menu.html（2023/2/1 アクセス））
7) 医療コミュニケーション研究会編：医療コミュニケーション実践研究への多面的アプローチ．篠原出版，東京，2009．
8) 奥田弘美：メディカル・サポート・コーチング入門．チーム医療，東京，2003．
9) 嶋森好子編：ヒヤリ・ハットや事故事例の分析による医療安全対策ガイドライン．じほう，東京，2007．
10) 一般社団法人全国歯科衛生士教育協議会監修：最新歯科衛生士教本 歯科衛生学総論．医歯薬出版，東京，2012．
11) 石川雅彦，平田創一郎，中島 丘編：すぐに使える！歯科診療室での医療安全実践ガイド．起こりやすいエラーの予防と対応策．医歯薬出版，東京，2010．
12) 海野雅浩，小谷順一郎，渋井尚武，森崎市治郎編：一から学ぶ歯科医療安全管理．医歯薬出版，東京，2005．
13) 石田隆行編：医用放射線科学講座 医療安全管理学 第2版．医歯薬出版，東京，2016．
14) 羽村 章，安藤文人編：高齢者歯科の医療事故防止―適切な対応とは何か．一般社団法人 口腔保健協会，東京，2018．
15) 浅野倉栄ほか：トラブル事例に学ぶ歯科訪問診察―困ったぞ！こうなりたくない！クインテッセンス出版，東京，2019．
16) 日本手術看護学会手術看護基準・手順委員会編：手術看護業務基準．日本手術看護学会，東京，2017．

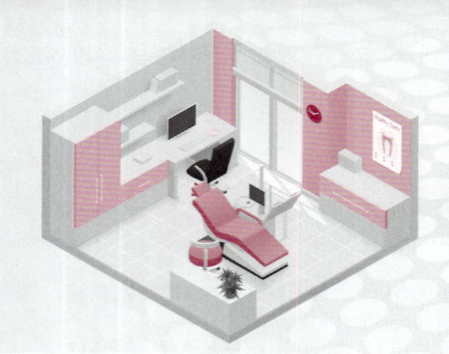

CHAPTER 6

院内感染対策の背景

I 院内感染対策に関わる法制化等の経緯と歯科医療分野の動向

1 院内感染対策有識者会議報告書に基づく国の対応

　2002（平成14）年1月に多数の入院患者が院内感染によって死亡する事例が発生したことなどから，厚生労働省は同年7月に**院内感染対策有識者会議**（以下，"有識者会議"）を設置し，総合的な対策の検討を開始しました．**院内感染対策**は地域全体の課題として取組む必要があるため，有識者会議は感染症対策の専門家，医療関係者，行政関係者に加え，法律学者や報道関係者も含めた委員構成とされました．翌年には重症急性呼吸器症候群〈SARS〉の感染者が世界各国で多数発生し，SARSの院内感染対策についても関心が集まりました．院内感染対策をめぐる状況が刻々と変化するなか検討が進められ，2003（平成15）年9月に報告書『今後の院内感染対策のあり方について』がとりまとめられました．その報告書において，当面必要な国の取り組みとして「高度な医療を提供する大規模な医療機関等を対象とした院内管理体制の制度化」など9項目の課題が示されました[1]（**表6-1**）．

　有識者会議報告書で示された課題を踏まえ，2003（平成15）年11月に医療法施行規則の一部改正が行われ，特定機能病院[*1]に院内感染対策を行う専任者の配置を義務づけるなど法令面の整備が行われました[2]．また，翌年3月には厚生労働省告示の改正により，第一種感染症指定医療機関[*2]についても特定機能病院と同

[*1] 特定機能病院
高度な医療を提供する大規模な医療機関．

[*2] 第一種感染症指定医療機関
重篤な感染症を担当する医療機関．

表6-1 院内感染対策について当面必要な国の取り組み

①院内感染地域支援ネットワーク（仮称）への支援等
②科学的根拠に基づく院内感染制御のガイドライン等の作成・普及
③データベースの構築
④医療従事者等への院内感染対策の研修を実施するための教材の作成および情報提供
⑤感染制御に関する専門性の高い医療従事者の養成
⑥卒前・卒後研修の充実
⑦高度な医療を提供する大規模な医療機関等を対象とした院内管理体制の制度化
⑧院内感染対策に有用な研究の推進
⑨一般国民に対する院内感染全般に関する普及啓発

（院内感染対策有識者会議報告書—今後の院内感染対策のあり方について—から引用）

様の見直しが行われました[3]．さらに，地域における院内感染対策を支援するため，専門家で構成されるネットワークの構築等により，中小医療機関が院内感染予防等について日常的に相談できる体制を整備する「院内感染地域支援ネットワーク事業」が2004（平成16）年度から都道府県を実施主体として開始されました[4]．

　これらの事例のように，厚生労働省では一定の院内感染対策の推進を図ってきましたが，依然として院内感染の事例が各地で散発していたことから，同省は2005（平成17）年1月に院内感染に関する総合的な企画立案を行う「院内感染対策中央会議」を設置しました．この会議は有識者会議報告書で示された提言を踏まえ，院内感染対策に関して専門家による各論的な技術的検討を行う位置づけとされました[5]．

2　医療安全対策の一環としての院内感染対策

　医療機関における院内感染対策以外の**医療安全対策**は，厚生労働省の「**医療安全対策検討会議**」が2002（平成14）年4月にとりまとめた『医療安全推進総合対策』の提言[6]に基づき推進されてきましたが，重要課題の1つである院内感染対策は，前述の有識者会議報告書に基づき別に実施されてきました[1]．しかし，院内感染対策も他の医療安全対策と同様に組織的・体系的な取り組みが重要であることから，医療安全対策検討会議に設置された医療安全対策検討ワーキンググループで検討を行い，2005（平成17）年5月に報告書『今後の医療安全対策について』をとりまとめ，院内感染対策についても，医療安全対策の一環として総合的に取り組んでいくこととされました[7]．

　この報告書では，医療機関における院内感染対策の充実のために当面取り組むべき課題として，特定機能病院等に加えて「病院その他の医療施設（有床診療所，無床診療所，歯科診療所，助産所）においても院内感染防御体制の整備を図り，安全，安心で質の高い医療を確保する．」ことが提言されました．具体的な対応としては「①**院内感染防止のための指針**とマニュアルを整備する．②医療従事者に対し**院内感染対策に関する研修**を実施する．③医療機関内における感染症の発生動向等の院内報告等により情報を共有し，それに基づき必要な対策を講じる．」こととされ，また，入院施設を有する病院や有床診療所については院内感染対策のための委員会を開催することが提言されました．

3　医療法および医療法施行規則の一部改正

　医療安全対策等の**医療法**に関係する事項は，厚生労働省の社会保障審議会医療部会（以下，"医療部会"）で調査審議が行われますが，必要に応じ法律改正の内容等についても検討が行われます．2005（平成17）年12月の医療部会において『医

表 6-2　院内感染対策のための体制確保に係る措置

イ	院内感染対策のための指針の策定
ロ	院内感染対策のための委員会の開催
ハ	従業者に対する院内感染対策のための研修の実施
ニ	当該病院等における感染症の発生状況の報告その他の院内感染対策の推進を目的とした改善のための方策の実施

注：ロについては，病院，患者を入院させるための施設を有する診療所および入所施設を有する助産所に限る．

（医療法施行規則第1条の11第2項第1号から引用）

療提供体制に関する意見』がとりまとめられ，その意見において，医療安全対策の総合的推進について取り組むべきとされました[8]．具体的には，医療の質と安全性の向上の観点から，「①現行の病院及び有床診療所に加え，無床診療所，歯科診療所，助産所についての安全管理体制についての基準を新設する．②病院，診療所及び助産所に対し，**院内感染防御体制**についての基準を新設する．」など7項目について提言が行われました．また，医療部会から法律改正案の国会提出等について要請が行われ，医療法の一部改正について検討が進められることとなりました．

　医療提供体制のあり方については，当時の政府・与党でも検討が行われ，2005（平成17）年12月に『**医療改革大綱**』として見直しの方向性が示されました．翌年1月および2月に開催された厚生労働省の医療部会では，医療法の一部改正等について，医療改革大綱も踏まえた具体的な検討が行われました．その結果，医療安全の確保については「**医療安全支援センター**の制度化，医療機関の管理者に医療安全確保の義務づけをすること」が新たに医療法に規定されることとなりました[9]．なお，医療法の一部改正を含む法律案は2006（平成18）年6月に可決成立しました．

　病院や診療所等の管理者の責務については，医療法第6条の10で「厚生労働省令で定めるところにより，医療の安全を確保するための指針の策定，従業者に対する研修の実施その他の当該病院，診療所又は助産所における医療の安全を確保するための措置を講じなければならない．」と規定されました．2007（平成19）年4月から改正法が施行されることとなったため，同年3月に**医療法施行規則**（厚生労働省令）の一部が改正され，院内感染対策のための体制の確保に係る措置として，院内感染対策のための指針の策定などが規定されました（**表6-2**）．

4　院内感染対策の具体的な運用

　医療法および医療法施行規則の一部改正に伴い，2007（平成19）年3月30日付けで厚生労働省医政局長から各都道府県知事に対し通知が発出され，新制度の運

表 6-3 院内感染対策のための指針

ア 院内感染対策に関する基本的考え方
イ 院内感染対策のための委員会（委員会を設ける場合を対象とする.）その他従業者に対する当該病院等の組織に関する基本的事項
ウ 院内感染対策のための従業者に対する研修に関する基本方針
エ 感染症の発生状況の報告に関する基本方針
オ 院内感染発生時の対応に関する基本方針
カ 患者等に対する当該指針の閲覧に関する基本方針
キ その他の当該病院等における院内感染対策の推進のために必要な基本方針
注：院内感染対策のための指針は上記のア～キを文書化したものであること.

（平成 19 年 3 月 30 日 医政発第 0330010 号 厚生労働省医政局長通知から引用）

用に関して周知が図られました[10]. 医政局長通知のなかで病院や診療所における院内感染対策については，医療法施行規則の新たな規定（表 6-2 のイ～ニ）について要点が示され，歯科診療所においても次のような対策を行うこととされました.

①院内感染対策のための指針の策定（表 6-2 のイ）
・表 6-3 に示す「ア　院内感染対策に関する基本的考え方」等の 7 つの事項を文書化する.

②従業者に対する院内感染対策のための研修の実施（表 6-2 のハ）
・従業者の院内感染に対する意識を高め，業務を遂行する上での技能やチームの一員としての意識の向上等を図る.
・病院等の実情に即した内容で，職種横断的な参加の下に行う.
・院内感染に関する内容について，年 2 回程度定期的に開催するほか，必要に応じて開催する.
・研修の実施内容（開催又は受講日時，出席者，研修項目）について記録する.
・入所施設を有しない診療所等の場合は，外部での研修を受講することでも代用できる.

③感染症の発生状況報告その他の院内感染対策の推進を目的とした改善のための方策の実施（表 6-2 のニ）
・感染症の発生動向の情報を共有することで，院内感染の発生の予防及びまん延の防止を図る.
・重大な院内感染等が発生し，院内のみでの対応が困難な場合等には，地域の専門家等に相談できる体制を確保することが望ましい.
・院内感染対策のための指針に即した院内感染対策マニュアルを整備するなど，その他の院内感染対策の推進のために必要な改善策を図る. また，改善策は定期的に見直すことが望ましい.

医政局長通知によって，**院内感染対策のための指針**の策定および**院内感染対策マニュアル**の整備が具体的に示されましたが，この取り組みに資するため，2007（平成19）年5月に厚生労働省の担当課から『院内感染対策のための指針案及びマニュアル作成のための手引き』が都道府県，政令市および特別区に送付され，全国の医療機関に対して周知が図られました[11]．医療関係団体においてもモデルとなる指針等が検討され，日本歯科医師会からは，同年6月に第1版の『歯科診療所医療安全管理・院内感染対策指針（モデル）』が示されました[12]．厚生労働省が示した前述の指針案については，専門的な観点から見直しが行われ，2015（平成27）年1月に改めて『院内感染対策のための指針案』として周知が図られました[13]．

5 歯科医療分野における院内感染対策の動向

歯科医療分野における国の感染対策としては，1998（平成10）年度から歯科医師や歯科衛生士等を対象にHIVや肝炎等の感染症予防を図る「歯科医療関係者感染症予防講習会」が実施されていますが，2007（平成19）年4月以降，すべての医療機関において医療安全に関する管理体制の整備が義務づけられたことから，2008（平成20）年度に「歯科医療安全管理体制推進特別事業」が開始されました．この事業は都道府県を実施主体とするものであり，歯科医療機器の感染防止対策を含め歯科医療安全管理体制の推進に関してさまざまな取り組みが行えることとなっています[14]．

また，歯科医療分野においては，2014（平成26）年5月に歯科用ハンドピースの滅菌消毒が不十分である旨の新聞報道があり，厚生労働省は都道府県等の担当部局に通知を発出し，歯科医療機関における院内感染対策について注意喚起を行いました．2017（平成29）年7月にも同様な趣旨の新聞報道があったことから，改めて通知を発出し，歯科用ハンドピースの滅菌処理等の院内感染対策について周知を図りました[15]．その後，2019（平成31）年3月に『一般歯科診療時の院内感染対策に係る指針（第2版）』が策定されたことを踏まえ，厚生労働省は2019（令和元）年11月の**医療安全推進週間**に際して通知を発出し，同指針を参考に適切な院内感染対策を実施するよう重ねて周知を図りました[16]．なお，同指針は日本歯科医学会の「歯科診療における院内感染対策に関する検証等事業実行委員会」で策定されており，19項目の質問（歯科医療従事者が臨床現場で直面する疑問等）[17]に対する回答（エビデンスに基づきまとめたもの）および解説（回答の根拠となった参考文献をまとめたもの）で構成されています（**表6-4**）．

2019（令和元）年12月に最初の感染報告があった新型コロナウイルス感染症は，翌年以降，世界的に大流行し，わが国の歯科医療機関においても感染拡大防止のための院内感染対策の徹底が必要になりました．そのため，厚生労働省は2020（令和

表6-4 院内感染対策に関して歯科医療従事者が臨床現場で直面する疑問の例

- 医療従事者の防護関連
  歯科診療時の手洗いは，消毒薬を含む洗剤を使用して行う方が，擦り込み式消毒薬を用いるよりも院内感染を防止することができますか？
- 器材などの滅菌・消毒関連
  歯科診療に使用するアルコール綿は，毎日診療前にその日の分を作製する方が，アルコールを継ぎ足しして使用するよりも院内感染を防止することができますか？
- 診療室設備関連
  歯科用ユニットを患者ごとに消毒薬で清拭，またはラッピングすると，しない場合に比べて院内感染を防止するのに有効ですか？
- 歯科技工関連
  アルジネート印象採得後，印象体を消毒薬で消毒すると流水下での水洗いよりも，院内および歯科技工所の感染防止に有効ですか？
- 針刺し事故関連
  局所麻酔用注射針を片手でリキャップすると，両手でリキャップする場合よりも針刺し事故の防止に有効ですか？
- 廃棄物関連
  歯科診療で使用したメスや針などは使用後直ちにユニット内で耐貫通容器に捨てるほうが他の廃棄物（ガーゼや綿花）と一緒に感染性廃棄物として捨てるより院内感染防止（職業感染・血液曝露）に有効ですか？

（平成31年3月30日 一般歯科診療時の院内感染対策に係る指針（第2版）から引用）

2）年4月および6月に通知等を発出し，前述の『一般歯科診療時の院内感染対策に係る指針（第2版）』を参考にした標準予防策の徹底に加え，歯科診療実施上の留意点や歯科疾患の予防・重症化予防の取組みについて周知を図りました[18].

（日髙勝美）

II 院内感染対策委員会と感染対策マニュアル

1 院内感染対策委員会の設置について

院内感染対策の促進を目的とした診療報酬上の評価として，平成8（1996）年に入院基本料に「院内感染対策加算」が導入されました．このとき，同加算の施設基準として，院内感染対策委員会の設置が定められました．その後，医療施設における院内感染対策の定着とともに，平成12（2000）年に「院内感染未実施減算」への変更を経て，平成18（2006）年に入院基本料の施設基準とされたことにより，診療報酬のうえで院内感染対策委員会の設置が有床の医療施設において義務づけられました．

さらに，平成19（2007）年4月施行の第5次医療法改正により，同法第6条の10において，「病院，診療所又は助産所の管理者は，厚生労働省令で定めるところにより，医療の安全を確保するための指針の策定，従業者に対する研修の実施その他の当該病院，診療所又は助産所における医療の安全を確保するための措置を講じなければならない」と規定されました．具体的には，医療法施行規則第1条の11第2項第1号において，すべての施設に対して，院内感染対策のための指針の策定，従業者に対する院内感染対策のための研修の実施，当該病院等における感染症の発生状況の報告その他の院内感染対策の推進を目的とした改善のための方策の実施が義務づけられました．

　また，「病院，患者を入院させるための施設を有する診療所及び入所施設を有する助産所」については，院内感染対策のための委員会の開催が義務づけられました．

　これらの要件は，厚生労働省医政局長通知によって，**医療法第25条に基づく立入検査**において留意すべき項目に指定されています[19]．具体的には，同通知において，「院内感染対策のための指針の策定状況，院内感染対策委員会の設置・開催状況を確認するとともに，従事者に対する研修，当該病院等における感染症の発生状況の報告その他院内感染対策の推進を目的とした改善のための方策，院内感染対策マニュアルの作成・見直し等が適切に行われていることを確認し，必要に応じて指導を行う」と示されています．無床の歯科診療所においては，院内感染対策委員会の設置は義務づけられていないものの，院内感染対策に関する指針の策定，研修の実施，事故報告等の医療に係る安全の確保を目的とした改善のための方策を講ずることが必要です．

　院内感染対策委員会の構成は，厚生労働省医政局長通知によって，職種横断的に構成されることが求められています[20]．診療報酬の取り扱いでは，入院基本料の施設基準として，より具体的に職種構成が示されています[21]．すなわち，病院長または診療所長，看護部長，薬剤部門の責任者，検査部門の責任者，事務部門の責任者，感染症対策に関し相当の経験を有する医師等の職員から構成されていること（診療所においては各部門の責任者を兼務してもよい）が求められています．また，院内感染対策委員会が月1回程度定期的に開催されていることや，各病棟（有床診療所では有する全ての病床）の微生物学的検査に係る状況等を記した「感染情報レポート」が週1回程度作成されており，当該レポートが院内感染防止対策委員会において十分に活用される体制がとられていることも必要とされています．

2　院内感染対策マニュアル

　院内感染対策に関する指針は，一般的には院内感染対策マニュアルとして整備されるものであり，その基本的事項については，第5次医療法改正に伴う厚生労働

表 6-5 院内感染対策に関する指針に記載すべき事項

- 院内感染対策に関する基本的考え方
- 院内感染対策のための委員会その他の当該病院等の組織に関する基本的事項（有床の場合に限る）
- 院内感染対策のための従業者に対する研修に関する基本方針
- 感染症の発生状況の報告に関する基本方針
- 院内感染発生時の対応に関する基本方針
- 患者等に対する当該指針の閲覧に関する基本方針
- その他の当該病院等における院内感染対策の推進のために必要な基本方針

表 6-6 歯科診療所における院内感染対策の責任者（令和 2 年）

総　　　数	67,874
歯 科 医 師	62,209
歯科衛生士	1,456
そ の 他	176

（人）

省医政局長通知によって示されています[22]（表 6-5）．歯科診療所における指針（マニュアル）等については，平成 19 年 6 月に日本歯科医師会から『歯科診療所における医療安全を確保するために―医療法改正によって義務付けられた指針・手順書・計画の編集例について―』と題した小冊子が発行されており，策定にあたっての参考となるモデル等が例示されています[12]．

3　歯科医院における院内感染対策の責任者とその数

　これらの院内感染対策については，国の基幹統計としてわが国のすべての医療施設を対象に実施される**医療施設調査**において，平成 20 年から調査項目に追加されました[23]．無床の歯科診療所に関する調査結果としては，各診療所における院内感染対策の責任者について，職種別にその人数が示されています（表 6-6）．

　ただし，毎回の医療施設調査で示される院内感染対策の責任者は，以前として歯科医師が大部分であり，歯科衛生士は少ないままです．院内感染対策の責任者を歯科衛生士が担えるようにするひとつの方策としては，医療安全管理者養成研修（日本看護協会）や医療安全管理者養成課程講習会（全日本病院協会）などの受講によるスキルの修得も有効です．

（福泉隆喜）

参考文献

1) 院内感染対策有識者会議：院内感染対策有識者会議報告書―今後の院内感染対策のあり方について―．2003．
2) 厚生労働省：『医療法施行規則の一部を改正する省令』の施行（特定機能病院に専任の院内感染対策を行う者を配置すること等に係る改正関係）について．平成15年11月5日医政発第1105010号厚生労働省医政局長通知，2003．
3) 厚生労働省：感染症の予防及び感染症の患者に対する医療に関する法律第38条第2項の規定に基づく厚生労働大臣の定める感染症の指定医療機関の基準の一部を改正する件．平成16年3月3日厚生労働省告示第76号，2004．
4) 厚生労働省：院内感染対策事業の実施について．平成21年3月30日医政発第0330009号厚生労働省医政局長通知，2009．
5) 厚生労働省：院内感染対策中央会議について．院内感染対策中央会議（第1回）資料1，2005．
6) 医療安全対策検討会議：医療安全推進総合対策～医療事故を未然に防止するために～．2002．
7) 医療安全対策検討会議：医療安全対策ワーキンググループ報告書．今後の医療安全対策について，2005．
8) 社会保障審議会医療部会：医療提供体制に関する意見．2005．
9) 社会保障審議会医療部会：良質な医療を提供する体制の確立を図るための医療法等の一部を改正する法律案　関係資料，第23回社会保障審議会医療部会　資料1，2006．
10) 厚生労働省：良質な医療を提供する体制の確立を図るための医療法等の一部を改正する法律の一部の施行について．平成19年3月30日医政発第0330010号厚生労働省医政局長通知，2007．
11) 厚生労働省：院内感染対策のための指針案及びマニュアル作成のための手引きの送付について．平成19年5月8日厚生労働省医政局指導課事務連絡，2007．
12) 日本歯科医師会：歯科診療所における医療安全を確保するために―医療法改正によって義務付けられた指針・手順書・計画の編集例について―．2007．
13) 厚生労働省：院内感染対策のための指針案の送付について．平成27年1月5日厚生労働省医政局地域医療計画課事務連絡，2015．
14) 厚生労働省：歯科保健医療対策事業実施要綱．平成30年3月30日医政発0330第31号厚生労働省医政局通知，2018．
15) 厚生労働省：歯科医療機関における院内感染対策の周知について．平成29年9月4日医政歯発0904第2号厚生労働省医政局歯科保健課長通知，2017．
16) 厚生労働省：歯科医療機関等に対する院内感染対策に関する取り組みの推進について（周知依頼）．令和元年11月22日医政歯発1122第1号厚生労働省医政局歯科保健課長通知，2019．
17) 歯科診療における院内感染対策に関する検証等事業実行委員会：一般歯科診療時の院内感染対策に係る指針（第2版），2019．
18) 厚生労働省：新型コロナウイルス感染症に係る緊急事態宣言の解除を踏まえ今後を見据えた歯科医療提供体制の検討及び歯科保健医療の提供について（依頼），令和2年6月19日医政歯発0619第1号厚生労働省医政局歯科保健課長通知，2020．
19) 厚生労働省：令和3年度の医療法第25条第1項の規定に基づく立入検査の実施について．令和3年7月29日医政発0729第23号，各都道府県知事，各保健所設置市長，各特別区長宛厚生労働省医政局長通知，2021．
20) 厚生労働省：医療法第25条第1項の規定に基づく立入検査要綱の一部改正について．令和3年7月27日医政発0727第14号，各都道府県知事，各保健所設置市長，各特別区長宛厚生労働省医政局長通知，2021．
21) 厚生労働省：基本診療料の施設基準等及びその届出に関する手続きの取扱いについて，令和4年3月4日保医発0304第2号．地方厚生（支）局医療課長，都道府県民生主管部（局）国民健康保険主管課（部）長，都道府県後期高齢者医療主管部（局）後期高齢者医療主管課（部）長宛厚生労働省保険局医療課長，厚生労働省保険局歯科医療管理官連名通知，2022．
22) 厚生労働省：良質な医療を提供する体制の確立を図るための医療法等の一部を改正する法律の一部の施行について．平成19年3月30日医政発0330010号，各都道府県知事宛厚生労働省医政局長通知，2007．
23) 厚生労働省：令和2（2020）年医療施設（静態・動態）調査（確定数）・病院報告の概況．2022．https://www.mhlw.go.jp/toukei/saikin/hw/iryosd/20/（令和5年2月1日アクセス）

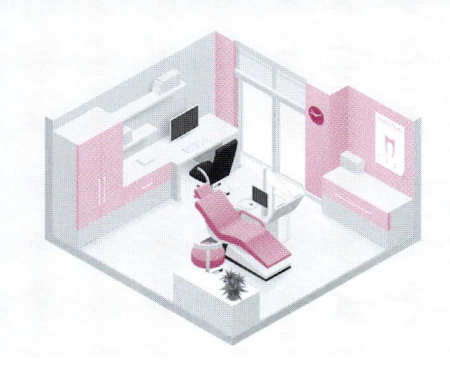

CHAPTER 付1
保健所の立入検査

*1 第6条10
病院，診療所又は助産所の管理者は，厚生労働省令で定めるところにより，医療の安全を確保するための指針の策定，従業者に対する研修の実施その他の当該病院，診療所又は助産所における医療の安全を確保するための措置を講じなければならない．

*2 第25条
都道府県知事，保健所を設置する市の市長又は特別区の区長は，必要があると認めるときは，病院，診療所若しくは助産所の開設者若しくは管理者に対し，必要な報告を命じ，又は当該職員に，病院，診療所若しくは助産所に立ち入り，その有する人員若しくは清潔保持の状況，構造設備若しくは診療録，助産録，帳簿書類その他の物件を検査させることができる．

　国が適正な医療や地域住民への安全な医療を確保する観点から，医療施設の構造設備や管理体制等が医療法第6条の10[*1]やその他の関連法令に従い適正に運営され続けていくように促すために，あるいは適正に運営されているかどうかについて調査するため，監督官庁である保健所の立入検査があります．立入検査そのものは，医療法第25条[*2]第1項，各都道府県が作成する実施要綱および各保健所が作成する実施要綱の条文に基づき実施されています．

　具体的な検査内容としては，院内感染対策，医療事故の防止・安全管理対策，防火・防災対策，毒劇薬の管理，医療廃棄物の管理，職員の就労状況や健康管理，診療放射線の管理，個人情報保護法における個人情報管理等，必要に応じさまざまな事項があげられます．

1　検査項目の要点

❶—診療従事者の資格関係
　歯科医師免許，歯科衛生士免許，歯科技工士免許の写しを準備

❷—医薬品の取り扱い
（1）毒薬または劇薬が他のものと区別されていること，毒物を保管する場所は施錠されていること
（2）毒薬および劇薬は，それぞれ毒，劇と表示されていること（p.153 参照）

❸—職員の定期健康診断の実施

❹—医療法による広告規制違反はないか

❺—掲示物は適正か（診療時間，診療担当者名，個人情報保護法等）

❻—診療録の整備と保管

❼—処方箋の記載と保管

❽―放射線関係

(1) 放射線管理区域表示がなされているか
(2) 放射線室の入口付近に，注意事項の掲示があるか
(3) 放射線防護が適正に行われているか
(4) 放射線照射記録が整備されているか
(5) 放射線漏洩検査が適正に行われているか
(6) 医療放射線の適正管理

　医療法改正により2020（令和2）年4月1日から，「診療用放射線に係る安全管理体制に関する規定」が施行され，以下のことを行わなければならなくなりました．

・医療放射線の安全管理責任者の配置（院長）
・医療放射線の安全管理のための指針の策定
・放射線医療従事者に対する安全管理のための職員研修の実施（日歯 E-system の研修動画あり）

❾―防火体制

(1) 消火器，誘導灯等の防火設備は適正か
(2) 消防用設備点検報告書が毎年所轄の消防署に提出されているか

❿―医療廃棄物関係

(1) 感染性医療廃棄物の保管場所は適正か（関係者以外近づけないようにしている，表示）
(2) マニフェスト（産業廃棄物管理票）の保管
(3) エックス線の現像，定着液の処理は適正か

⓫―医療安全対策

(1) 医療安全管理体制
(2) 院内感染防止策
(3) 医薬品管理
(4) 医療用具の管理

2　立入検査の手順とその対応

　保健所職員による立入検査の一般的な手順を時系列でまとめると，以下のようになります．

❶―立入検査を行う旨の連絡書が，検査当日の1カ月くらい前に医院に届く

❷―事前に調査票の送付があり，当日までに記入しておくように指示がある

　診療従事者の免許証（写し），診療従事者一覧，出勤簿等の指示があった書類を用意する．

❸―立入検査当日

　保健所職員は，医院の外観，看板等に広告規制等の医療法違反がないかを確認しながら医院を訪問する．まずは書類のチェックから始まる．主な手順と留意点は以下のとおりである．
　(1) 記入済みの調査票を担当者に渡す．可能であれば，医院建物の平面図を用意しておく．
　(2) 職員は医療従事者の免許証を確認し，その番号を控える．
　(3) 労働者名簿，賃金台帳，出勤簿またはタイムカードのチェック．届け出のあった労働者が実際に従事しているかの確認と，地域住民に適正な医療が提供できる態勢にあるかどうかということがチェックされる．つまり，スタッフ不足や過重労働があると，適切な医療の質を担保できないとみなされる．
　(4) 従業員の定期健康診断記録の保管状況．労働安全衛生法によるもので，管理者はスタッフの毎年の健康診断記録をチェックし保管する必要がある．個人情報保護法との兼合いもあるが，保健所は事業主としては労働安全衛生法を優先させるべきと考えていると思われる．
　(5) 医療廃棄物のマニフェストのチェック，委託契約書の確認．電子化している医院は，すでにチェック済みになっている．収集運搬および処理の2種類の委託契約書が揃っていなければならない．マニフェストは時系列順に「A-B2-D-E」にそろえ，年度ごとにまとめて綴じておく．

❹―消防用設備等点検結果報告書の確認

　消防署の管轄と思われがちだが，患者の安全管理上，火災が起こったときに安全に避難できるようになっているか確認するもの．

❺―放射線漏洩検査記録および放射線研修記録

　労働安全衛生法では「放射線障害が発生する恐れのある場所については，6カ月を超えない毎に測定を行い，その記録を5年間保管すること」とあるので，保健

表1 歯科診療所（無床診療所）における医療安全対策早見表

区　分	指針等の整備	委員会の開催	責任者の設置	従業者に対する研修の実施	改善のための措置など
安全管理のための体制の確保	医療安全管理指針	※1	医療安全管理者[※2]	年2回程度[※3, 4]	事故報告等の改善のための方策 ・医療事故防止マニュアル ・緊急時対応マニュアル
院内感染対策のための体制の確保に係る措置	院内感染対策指針	※1	—	年2回程度[※3, 4]	感染症発生状況など改善のための方策 ・院内感染防止マニュアル
医薬品に係る安全確保のための体制の確保に係る措置	医薬品業務手順書	—	医薬品安全管理責任者[※2]	必要に応じて[※4]	手順書に基づく業務の実施情報収集および改善のための方策 ・医薬品管理簿
医療機器に係る安全確保のための体制の確保に係る措置	医療機器保守・点検計画[※5]	—	医療機器安全管理責任者[※2]	新しい医療機器導入時	医療機器の適正使用・保守点検・情報管理等の包括的管理

※1：無床診療所は委員会を設けず職員ミーティングで可
※2：厚生労働省医政局長通知（平成19年3月30日付・医政発第0330012号）で定める常勤の医療従事者（院長の兼任可）
※3：診療所外での研修可
※4：他の研修と併せて実施可
※5：保守点検計画・記録作成が必要な医療機器とは，生命維持装置等（人工心肺装置等）の医療機器7種．他の医療機器に関しては，必要に応じて適宜保守点検および計画の作成を行う．

所の立入検査はほぼ5年に1回ということもあり，直近の5年間の記録を見せることが望ましい．放射線安全管理のための職員研修（年1回以上）の実施記録も確認される．

❻—処方箋記録の確認（処方箋を出している診療所）

❼—個人情報の取り扱いに関する書類の確認

日本歯科医師会作成の『個人情報の取り扱いについて』のポスター2枚を待合室に掲示しておく．カルテ等の個人情報開示請求があったときに備えて，開示請求用紙（日本歯科医師会のホームページ参照）も整備しておく．

❽—守秘義務に関するスタッフの誓約書

歯科助手や受付の者に対する誓約書を作成し保管しておく．

❾—医療安全，院内感染対策等に関する書類のチェック（表1）

（1）安全管理のための体制（医療安全管理指針）．責任者を設置したうえで，年2回程度の研修を実施し，医療事故防止マニュアルおよび緊急時対応マニュ

図1　毒薬と劇薬の表示（直接の容器または被包に表示）

図2　毒物と劇物の表示（直接の容器または被包に表示）

アルの作成が必要とされる．
(2) 院内感染対策のための体制確保（院内感染対策指針）．年2回程度研修を実施し，院内感染防止マニュアルを作成する．
(3) 医薬品業務手順書．定期的に確認されていること．管理責任者を決める．医薬品管理簿に購入した医薬品を時系列で記載していく．これによって，薬品に何か問題があったら，いつ，どこから購入したものか特定できる．
(4) 医療機器の定期点検．責任者を決める．
続いて，院内の状況のチェックが行われる．

❿─毒薬，劇薬の管理

毒薬には黒地に白枠，白字でその品名および と表示し，施錠できる場所に保管する．劇薬は白地に赤枠，赤字でその品名および と表示を行い，他の薬品とは別の場所に保管する（図1）．

⓫─毒物，劇物の管理

薬用外毒物（クロロホルム，ホルマリン等）および医薬用外劇物（工業用アルコール等）は施錠保管する．なお，表示は直接の容器または被包に，毒物は赤地に白字で「医薬用外毒物」，劇物は白地に赤字で「医薬用外劇物」の文字を記載する（図2）．

⓬─感染予防に配慮した手洗いの実践．ペーパータオル使用のこと

❸—医療廃棄物，感染性医療廃棄物の保管状況

部外者が触れたりしないように配慮．たまったら施錠できるところに保管する．

❹—都市ガスを使う場所の換気，排気の確認

❺—院内の清掃状態，整理整頓（感染予防はまず整理整頓，清掃から）

3　検査で不備があった場合の処置

立入検査結果は以下のような形で表される．

❶—不備なしの場合

口頭指導，指摘事項なし．

❷—口頭指導あり

"口頭指導"とは，特に改善の報告は求めないが，より良い医療環境整備等のため，検討をお願いするもの．

"口頭指導"で多い項目は以下のとおりである．

(1) 医療安全管理指針に医院の特徴を盛り込むこと
(2) 医療安全，院内感染防止の職員研修の実施
(3) 医薬用外劇物（工業用アルコール等）の保管・管理
(4) 健康診断結果の保管
(5) 共用タオルの使用をやめること
(6) 消防設備の不備

❸—指摘事項あり

"指摘事項"とは，法的な不適合事項があった場合に，その改善と報告を求めるもの．

"指摘事項"で頻度の高い項目を以下に例示する．

(1) エックス線の漏洩検査が適切に行われていない
(2) 院内掲示物の不備
(3) 毒劇薬の管理が不十分
(4) 定期健康診断が適切に実施されていない

（木村哲也）

毒薬と劇薬，毒物と劇物って？

COLUMN 12

　毒薬と劇薬，毒物と劇物は，一般にはよく混同されて使われることもある用語です．これらは医薬品であるか否かの違いで，規制する法律が異なります．毒薬と劇薬は医薬品であり医薬品医療機器等法で，毒物と劇物は医薬品や医薬部外品と区別して毒物及び劇物取締法で規制されているものです．

　毒薬と劇薬は，治療用として医科では抗悪性腫瘍薬，麻酔薬等に，歯科では歯内療法用薬剤（劇薬；ホルマリンクレゾール，パラホルムアルデヒド等）や局所麻酔薬（劇薬；歯科用キシロカインカートリッジ等）などで広く使われています．なお，毒薬と劇薬の違いは，毒性の強さにあります．毒薬は，劇薬より毒性による致死量がはるかに強く，その差はおおよそ 10 倍といわれています．

　毒物と劇物は，一般に農業や工業で広く使われていますが，皮膚や粘膜に直接付着したり，吸い込んだりすると生理的な悪影響を及ぼす可能性がある化学物質をいいます．医薬品ではありませんが，医療に間接的に有効利用されているものもあります．例えば，歯科技工で使われるフッ化水素酸などは劇物で，毒物及び劇物取締法で規制されます．

（木村哲也）

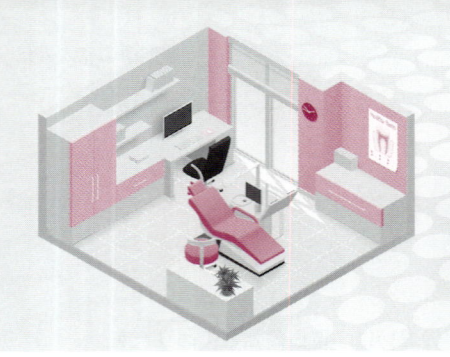

CHAPTER 付2 歯科医療安全管理のための歯科医院自主点検管理表

1 個人情報保護に関するチェックリスト

	I 規定の整備について	チェック
1	個人情報保護に関する規定がありますか	
2	個人情報保護に関する規定を職員に周知していますか	
3	個人情報を取得するにあたって，あらかじめその利用目的を公表していますか	
4	個人情報保護に関する管理者（監督者）を設置していますか	
5	個人情報保護の推進を図るための委員会を設置していますか	
6	個人データの安全管理措置について定期的に自己評価を行っていますか	
7	個人データの漏えい等が発生した(疑われる)場合の報告連絡体制は整っていますか	
8	雇用契約，就業規則等に個人情報保護に関する規定を明記し守秘義務を徹底していますか	
	II 個人データの管理について	
1	個人データがある部屋への入退出の管理を行っていますか	
2	個人データをパソコンで管理していますか	
3	個人データ管理パソコンへのアクセス管理をしていますか	
4	個人データ管理パソコンにファイアウォール対策を行っていますか	
5	個人データに対するアクセス記録を保存していますか	
	III 個人データの廃棄，消却について	
1	個人データ（紙）の廃棄については復元不可能な形として廃棄していますか	
2	個人データ（情報機器，電子データ）の廃棄については復元不可能な形にしてますか	
	IV 情報公開について	
1	個人情報の取り扱いに関する苦情に対応する窓口を設けていますか	
2	保有個人データについての利用目的，開示等の手続き方法を公表していますか	
3	保有個人データの開示等に係る手数料の額，苦情の申し出先等について公表していますか	
	V 個人データ取扱業務の委託を行っている場合について	
1	契約には個人情報の適切な取り扱いに関する内容を盛り込んでいますか	
2	契約には個人情報の適切な廃棄，消却等に関する内容を盛り込んでいますか	

2 医療安全管理チェックリスト

	I 医療安全管理体制の整備状況	チェック
A	医療に係る安全管理のための指針について	
1	「安全管理のための指針」を作成していますか	
2	安全管理に関する基本的な考え方を記載していますか	
3	医療安全に係る医療機関内の体制について基本的事項を記載していますか	

歯科医療安全管理のための歯科医院自主点検管理表

	4	安全管理のための職員研修に関する基本方針を記載していますか
	5	事故報告等医療安全確保のための改善策に関する基本事項を記載していますか
	6	医療事故等の発生時における対応に関する基本指針を記載していますか
	7	医療従事者と患者との間の情報共有に関する基本指針を記載していますか
	8	患者からの相談への対応に関する基本指針を記載していますか
	9	その他医療安全の推進のために必要な基本方針を記載していますか
	10	指針を職員に周知し，医療機関内全体として取り組んでいますか
	11	診療申し込み等の様式に患者の本籍地を記載させるようになっていませんか
B	医療事故等の院内報告制度の整備について	
	1	インシデント・アクシデントを管理者に報告するよう義務づけていますか
	2	報告の基準，方法を定めていますか
	3	インシデント・アクシデントの報告が文書であがっていますか
	4	インシデント・アクシデントの収集，整理，分析によりその問題点の把握ができていますか
	5	インシデント・アクシデントについて院内で改善，再発防止等に向けた取り組みを行っていますか
	6	重大な事故の報告は，診療録等に基づき作成していますか
	7	緊急時の連携医療機関について，文書で明記のうえ職員に周知徹底していますか
C	医療に係る安全管理のための職員研修の実施について	
	1	医療機関全体に共通する安全管理に関する内容を職員に通知するために研修を行っていますか
	2	研修会の頻度は，定期的に行っていますか：1年に　　　回
	3	研修の内容を記録し保存していますか

II 院内感染対策の体制

	1	院内感染対策のための指針が策定されていますか
	2	院内感染対策のための責任者を配置していますか
	3	責任者は必要に応じて職員会議等で院内感染対策を周知していますか
	4	新聞等で院内感染の報道があった場合，適宜院内でその対策を検討していますか
	5	職員会議等の会議録を作成し，保存していますか
	6	職員研修は定期的に行っていますか：1年に　　　回
	7	職員採用時に医院感染防止の教育をしていますか
	8	独自の院内感染対策マニュアルを作成していますか
	9	患者や家族への説明や対応について，マニュアルで規定されていますか
	10	マニュアルの見直しを適宜行っていますか
	11	マニュアルの内容を職員に周知徹底していますか
	12	マニュアルは職員が活用しやすい場所に置いていますか

III 感染予防のための標準予防策

A	患者環境の清潔管理について	
	1	手が頻繁に触れる部位は，1日1回以上消毒していますか
	2	血液や体液で汚染された環境表面は，直ちに汚染局所の消毒を行っていますか
B	手洗いと手指消毒について	
	1	手洗いの手技は，正しく行われていますか
	2	手指はペーパータオルで拭きよく乾燥させていますか
	3	水道の蛇口は，レバー式または自動感知式になっていますか
	4	血液，体液，分泌物，排泄物に触れた後は，必ず手洗いをしていますか

5	他の患者に移る前，グローブをはずし必ず手指消毒をしていますか
6	液体石けんはつぎ足し使用していませんか
7	患者用トイレ等のタオルは共用タオルをおいていませんか
C	グローブ・フェイスシールドについて
1	血液，体液，創部，粘膜に触れる場合には，患者ごとにグローブを交換していますか
2	無菌操作時（インプラント等手術時）は滅菌グローブを着用していますか
3	血液，体液等が飛散するおそれがある処置には，マスク・ゴーグル・フェイスシールドを使用していますか
4	感染性の汚染が予測される場合，撥水性・防水性の予防衣を使用していますか
D	器具等の取り扱いについて
1	無菌の組織に使用するクリティカル医療器具・器材は，患者ごとに滅菌したものか使い捨てを使用していますか
2	正常粘膜に接触するセミクリティカルな医療器具・器材の消毒はどのようにしていますか
3	汚染した器具および使い捨て器具は，周囲を汚染しないように処理していますか
4	消毒に使用されるアルコール綿の保管はどのようにしていますか
5	アルコール綿は十分アルコールで湿っているものを使用していますか
6	注射器等は清潔な場所に保管されていますか
7	カートリッジ式注射器を使用し，針は滅菌のディスポーザブルを使用していますか
8	清潔シンクと不潔シンクを区別していますか
9	患者に使用した汚染物は感染性廃棄物として処理していますか
10	抜歯鉗子等の外科使用器具の消毒はどのようにしていますか
11	ハンドピース消毒はどのようにしていますか
12	リーマー・ファイル類の消毒はどのようにしていますか
13	バーの消毒はどのようにしていますか
14	どのようなディスポーザブル製品を使用していますか
E	職業感染予防について
1	針刺し事故防止のため，原則的に注射針リキャップは行わないようにしていますか
2	針刺し事故発生時の対策はとられていますか
3	ワクチンで予防可能な疾患に対して医療従事者にワクチン接種の機会が提供されていますか
4	スタッフは手指に外傷や傷がある場合は，創部を覆うなどの注意をしていますか
5	スタッフは，マスクを着用していますか

3 医療機器安全管理対策チェックリスト

		チェック
Ⅰ 医療機器安全管理者について		
1	「医療機器安全管理責任者」を配置していますか	
2	医療機器安全管理責任者は，常勤職員で有資格者ですか	
3	医療機器安全使用のための職員研修を実施していますか	
4	医療機器保守点検計画を策定していますか	
5	医療機器の保守点検を実施していますか	
6	医療機器の安全使用のために必要な情報収集を行っていますか	
Ⅱ 医療機器安全使用のための職員研修について		
1	医療機器の安全使用に関する内容を職員に周知するための研修を行っていますか	

2	研修はどのような頻度で行っていますか：1年　　　回	
3	医療機器の安全な使用方法，保守点検等で不具合が発生した場合の対応を検討していますか	
4	研修内容を記録し，保存していますか	
	III　医療機器の保守点検について	
1	保守点検が必要と考えられる医療機器について，保守点検計画を策定していますか	
2	保守点検計画策定にあたって，当該医療機器の添付文書を参考にしていますか	
3	保守点検計画には，機種別に保守点検の時期等が記載されていますか	
4	保守点検の実施状況，使用状況，修理状況，購入年等を記録していますか	
	IV　その他医療機器に関する安全対策について	
1	操作手順書を常備していますか	
2	医療機器安全管理責任者は，医療機器の添付文書，取り扱い説明書等を整理し保管していますか	
3	医療機器安全管理責任者は，医療機器の安全使用についての情報を職員に提供していますか	
4	医療機器安全管理責任者は，管理している医療機器の状況を管理者に報告していますか	
5	医療機器の新規採用にあたっては，医療安全の観点から検討していますか	

4　医薬品等の取り扱いのためのチェックリスト

	I　医薬品等の管理および取り扱いについて	チェック
1	医薬品を他の薬品と区別して保管していますか	
2	医薬品およびその容器が清潔に保たれていますか	
3	要冷所保存医薬品等の管理は適正になされていますか	
4	医薬品の数量，使用期限および破損の有無等の確認をしていますか	
5	引火の恐れのある薬品等は，防火設備等に保存して適正に管理されていますか	
6	医薬品等に関する安全性情報を入手していますか	
7	毒薬または劇薬を他の医薬品と区別して保存していますか	
8	毒薬は鍵のかかる場所で保存していますか	
9	毒薬は黒字に白枠，白字をもってその品名および「毒」の文字を記載していますか	
10	劇薬は白地に赤枠，赤字をもってその品名と「劇」の文字の記載をしていますか	
11	毒薬および劇薬が盗難にあい，または紛失することを防ぐのに必要な措置を講じていますか	
12	毒物・劇物の保管場所には「医薬品外毒物」「医薬品外劇物」の文字を表記していますか	
13	毒物および劇物の廃棄は適正に行われていますか	
	II　処方せんの取り扱いについて	
1	処方せんを患者に交付する時に以下の必要事項を記載していますか ①患者の氏名・年齢　②薬名，分量，用法用量　③発行の年月日　④使用期間 ⑤施設の名称および住所　⑥医師・歯科医師の記名押印または署名	

（**1**～**4**までは大分県歯科医師会　改変）

5　歯科衛生士に関するチェックポイント

❶―個人情報保護に関するチェックポイント

		チェック
1	歯科医院で作成された「個人情報保護に関する規定」を読んでいますか	
2	個人情報を取得するにあたって，あらかじめその利用目的を理解していますか	
3	個人データの安全管理措置について定期的に自己評価を行っていますか	
4	個人データの漏えい等が発生した（疑われる）場合の対応はできますか	
5	雇用契約，就業規則等に記載されている個人情報保護に関する規定を守り，守秘義務を徹底していますか	

❷―医療安全管理チェックリスト

	Ⅰ　医療安全管理体制の整備状況	チェック
A	医療に係る安全管理のための指針について	
1	歯科医院で作成された「安全管理のための指針」を読んでいますか	
2	安全管理に関する基本的な考え方を理解していますか	
3	医療安全に係る医療機関内の体制について基本的事項を理解していますか	
4	安全管理のための職員研修に参加していますか	
5	事故報告等医療における安全確保のための改善策に関する基本事項を理解していますか	
6	医療事故等の発生時における対応に関する基本指針を理解していますか	
7	医療従事者と患者との間の情報共有に関する基本指針を理解していますか	
8	患者からの相談への対応に関する基本指針を理解していますか	
9	その他医療安全の推進のために必要な基本方針を理解していますか	
B	医療事故等の院内報告制度の整備について	
1	インシデントを管理者に報告していますか	
2	インシデント報告の基準，方法を守っていますか	
3	インシデントの報告を文書であげていますか	
4	インシデントの収集，整理，分析によりその問題点の把握ができていますか	
5	インシデントについて院内で改善，再発防止等に向けた取り組みに参加していますか	
6	重大な事故の報告は，院長の指示に基づき作成していますか	
7	緊急時の連携医療機関を知っていますか	
C	医療に係る安全管理のための職員研修の実施について	
1	定期的に開催されている研修会に参加していますか	
2	研修の内容をメモし活用していますか	

	Ⅱ　院内感染対策の体制	チェック
1	歯科医院で作成された「院内感染対策のための指針」を読んでいますか	
2	院内感染対策のための責任者を知っていますか	
3	職員研修に参加していますか	
4	職員採用時に受けた院内感染対策の教育を活用していますか	
5	患者や家族への説明や対応について，マニュアルで規定されている事項を守っていますか	
6	マニュアルの内容を理解していますか	
7	マニュアルが設置されている場所を知っていますか	

Ⅲ　感染予防のための標準予防対策
A　患者環境の清潔管理について
1　手が頻繁に触れる部位は，よく消毒していますか
2　血液や体液で汚染された環境表面は，直ちに汚染局所の消毒を行っていますか
B　手洗いと手指消毒について
1　手洗いの手技は，正しく行われていますか
2　手指はペーパータオルで拭きよく乾燥させていますか
3　血液，体液，分泌物，排泄物に触れた後は，必ず手洗いをしていますか
4　他の患者に移る前，グローブをはずし必ず手指消毒をしていますか
C　器具等の取り扱いについて
1　汚染した器具および使い捨て器具は，周囲を汚染しないように処理できますか
2　清潔シンクと不潔シンクを区別できますか
3　患者に使用した汚染物は感染性廃棄物として処理できますか

❸─医療機器安全管理対策チェックリスト

Ⅰ　医療機器安全管理者について	チェック
1　医療機器安全管理責任者を知っていますか	
2　医療機器安全使用のための職員研修に参加していますか	
Ⅱ　医療機器安全使用のための職員研修について	
1　医療機器の安全使用に関する職員研修に参加していますか	
2　医療機器の安全な使用方法，保守点検等で不具合が発生した場合の対応を理解していますか	
3　研修内容をメモし活用していますか	
Ⅲ　医療機器の保守点検について	
1　保守点検計画策定にあたって，当該医療機器の添付文書を読んでいますか	
Ⅳ　その他医療機器に関する安全対策について	
1　操作手順書を読んでいますか	
2　医療機器安全管理責任者は，医療機器の添付文書，取り扱い説明書等を整理し保管していますか	
3　医療機器安全責任者は，管理している医療機器の状況を院長に報告していますか	

❹─医薬品等の取り扱いのためのチェックリスト

Ⅰ　医薬品等の管理および取り扱いについて	チェック
1　医薬品を他の薬品と区別できますか	
2　医薬品およびその容器を清潔にしていますか	
3　要冷所保存医薬品等の管理を適正にできますか	
4　医薬品の数量，使用期限および破損の有無等の確認をして，院長に報告していますか	

(白土清司)

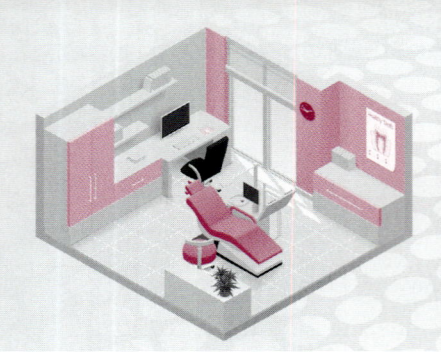

CHAPTER 付3
医薬品業務手順書記載項目と記載例（p.20 参照）

1．医薬品の採用・購入
1）採用可否の検討・決定
医薬品の採用・購入にあたっては，医薬品の安全性・取り間違い防止の観点から下記を踏まえて決定する．
- (1) 安全性に関する検討（医薬品添付文書，製薬会社提供資料を収集して検討）（同種同効品と比較検討）
- (2) 1成分1品目を原則とし，採用医薬品は最低限の数とする．
- (3) 類似した名称や外観をもつ薬の採用は，極力回避する．

2）医薬品の発注と発注内容を確認する
- (1) 発注の際は，商品名，剤形，規格単位，数量，包装単位，メーカー名を記入する．
- (2) 購入医薬品の品目・規格・数量が合致しているか発注伝票に基づき検品する．
- (3) "規制医薬品"および"特定生物由来製品"については特に注意して医薬品管理簿にて購入記録の保管を行う．

3）医薬品管理簿の作成と定期的な見直し
採用医薬品一覧を作成し，医薬品管理簿を基に在庫状況，使用量，有効期限を明確にし，定期的に品目を見直し・増補する．

2．医薬品の管理
1）医薬品棚の配置
- (1) 類似した医薬品名称や外観が類似している医薬品の取り間違い防止；同一棚番に配置しない．注意を表記する．
- (2) 同一銘柄で複数規格のある医薬品の取り間違い防止；注意を表記する．
- (3) 医薬品の転倒，落下の防止
- (4) 定期的な在庫数の確認

2）規制医薬品（毒薬，劇薬等）
規制区分で保管場所が違います．

- (1) 麻薬及び向精神薬取締法，医薬品，医療機器等の品質，有効性及び安全性の確保等に関する法律等の関係法規の遵守

劇　薬	・白地に赤枠，赤字の商品名 ・㊗の表示 ・普通薬と区別してひとまとめに保管
毒　薬	・黒地に白枠，白地の商品名 ・㊗の表示 ・普通薬・劇薬とは区別し，鍵の掛かる場所に保管

他の普通薬と区別することで，紛失・盗難の機会を減らす．
3）品質管理
  (1) 有効期限・使用期限の管理
  (2) 医薬品・薬物・歯科材料ごとの保管条件：温度・湿度・遮光など，温度・湿度管理，可燃性薬剤の転倒防止や火気防止
  (3) 必要に応じた品質確認試験の実施：変色・異物混入の発見時の対応
4）処置薬
  (1) 定期的な有効期限・使用期限の管理
  (2) 開封後の保管方法の確認・管理：開封日の記載，つぎ足し禁止
  (3) 処置用医薬品等の小分け用薬瓶への充填・補充間違いの防止対策

3．患者に対する医薬品の投薬指示・調剤に関する事項

1）医薬品・薬物・歯科材料使用にあたっての確認等
  (1) 患者情報の収集・管理（患者の他科受診，病歴の有無，妊娠・授乳，嗜好，診療録への記録）
  (2) 服用している医薬品の確認：口腔内に症状の現れる医薬品（例：抗てんかん薬等）の服用の有無，医薬品に関連した副作用歴・アレルギー歴の有無など〔特に局所麻酔薬，抗菌薬，歯科特有の使用材料（金属・合成樹脂等）〕，他科で使用されている医薬品，使用中の一般用医薬品，健康食品との重複・相互作用，必要に応じて他の医療機関への問い合わせを行う等

> 持参薬については"お薬手帳"や"お薬説明書"を薬と一緒に持参するよう依頼し，確認しましょう．確認を怠ると直ちにインシデントにつながるため注意しましょう．

4．患者に対する与薬や服薬指導（歯科医師の業務）

1）処　方
略
2）調剤（薬剤師の業務）
略
3）調剤薬の交付・服薬指導（薬剤師の業務）
略
4）局所麻酔薬の使用（医師，歯科医師の業務）
略
5）消毒薬の使用
  (1) 消毒薬の種類，濃度および使用方法や注意事項の確認
  (2) 手指用消毒薬および器具用消毒薬の誤用防止
6）フッ化物の使用
  歯垢染色剤，う蝕検知液，フッ化物を扱う場合の注意事項（皮膚や目，患者の衣服等への滴下や誤飲の防止策と発生時の対応方法）

> 患者の衣服への滴下はよくみられるインシデントです．防止策や対応法を具体的に明記しておきましょう．

連携方法について具体的に明記しておきましょう．

7）他施設との連携
（1）情報の提供
- 医薬品情報の提供（使用している医薬品の名称，剤形，規格，用法，用量，過去の医薬品使用歴等）
- 患者情報の提供（アレルギー歴，副作用歴および使用可能な代替薬，禁忌医薬品等，コンプライアンスの状況等）

（2）他施設からの問い合わせ等に関する体制整備

（3）処方せんの発行

略

介護サービス内容や他の専門職との連携方法について介護支援専門員に確認しておきましょう．

（4）医薬品使用による患者容態急変時のための他の医療機関との連携

副作用初期症状の確認，服薬薬剤および医薬との関連，モニタリング，医療機関との連携方法（麻酔によるショック発生等，自施設のみでの対応が不可能と判断された場合，遅滞なく他の医療機関への応援を求めることができる体制と手順の確立）

8）在宅患者への医薬品使用

在宅患者への医薬品の使用に関しては，医師，歯科医師，薬剤師の指示に従う．

（1）医薬品の適正使用のための剤形，用法，調剤方法の選択

略

医薬品については薬剤師，看護師などの介護サービス提供を行っている専門職と連携をとり確認しておきましょう．

（2）患者居宅における医薬品の使用と管理
- かかりつけ医との連携
- 医薬品の管理者および保管状況の確認
- 副作用および相互作用等の確認
- 連携する医療職・介護職が閲覧できる記録の作成

（3）在宅患者または介護者への服薬指導

略

DSU（Drug Safety Update；医薬品安全対策情報）や医薬品医療機器総合機構（PMDA）のホームページなどを閲覧し，医薬品関連情報を定期的に入手しましょう．

（4）患者容態急変時に対応できる体制の整備
- 夜間・休日の対応方法

5．医薬品情報の収集・管理・提供

1）医薬品情報の収集・管理
（1）医薬品等安全性関連情報・添付文書・インタビューフォーム（添付文書を補う薬品解説書の1つ）等の収集・管理
- 緊急安全性情報，禁忌，相互作用，副作用，薬物動態，使用上の注意等

（2）添付文書等の定期的な更新

添付文書は更新されることがあるので，定期的に確認

2）医薬品情報の提供
（1）緊急安全性情報等の提供

（2）新規採用医薬品に関する情報提供

（3）製薬企業の自主回収および行政からの回収命令，販売中止，包装変更等
（4）医薬品情報については随時，掲示板にて周知を行う．
（5）情報を印刷して回覧し，確認した者は署名を行う．

5．医薬品に関連する事故発生時の対応

> 貴施設の医療事故対策マニュアルに沿って対応しましょう．

1）具体的かつ正確な情報の収集
2）責任者または管理者への報告
3）患者家族への説明
　　医療事故対策マニュアルを参照
4）医薬品使用による患者容態急変のための他の医療機関との連携：外部の医療機関に要請するときの体制と手順

6．教育・研修

1）職員に対する教育・研修会の実施
　医療安全委員会と連携し職員に対する教育・研修を実施する．

> 手順書には初回作成年月日および変更年月日を記載しておきましょう．また，安全管理委員会において協議したうえで作成や変更を行いましょう．

　　　　　　　　　初回作成年月日　　　　　　年　　月　　日作成
　　　　　　　　　直近の変更承認年月日　　　　年　　月　　日変更

（淀川尚子）

さくいん

あ

アイ・メッセージ　124
アウトブレイク　53
アサーティブコミュニケーション　22
安全管理責任者　6

い

インシデント　114
インシデントレポート　119, 131
インフェクションコントロールドクター　52
医薬品の安全管理　20
医薬品の安全使用のための業務に関する手順書　20
医薬品安全管理に関するマニュアル　25
医薬品安全管理のための研修　26
医薬品業務手順書　20
　　──記載項目　162
医療コミュニケーションの三大コアスキル　123
医療に係る安全管理のための委員会　2
医療の不確実性　8
医療安全　2
　　──の5S　23
医療安全システム　4
医療安全管理委員会　2
医療安全管理者　2
医療安全管理責任者　20
医療安全支援センター　142
医療安全推進週間　144
医療安全対策　141

医療過誤　114
医療・介護関係事業者における個人情報の適切な取扱いのためのガイダンス　94
医療関連感染　40
医療機器のリスクマネジメント　33
医療機器の安全管理　30
医療機器安全管理に関するマニュアル　37
医療機器安全管理のための研修　39
医療機器管理台帳　31
医療施設調査　147
医療事故　114
医療情報システムの安全管理に関するガイドライン　110
医療法　1
　　──に基づく掲示物　86
医療倫理の4原則　10
一般廃棄物　61
院内感染対策　39, 141
　　──における研修　48
院内感染対策のための指針　143, 144
院内感染対策マニュアル　41, 146
院内感染対策委員会　145, 146
院内感染対策責任者　40, 41, 48
院内掲示管理　85

え・お

エアロゾル感染　51
エックス線装置の管理　83
オープン型質問　124

か

ガラスバッジ　84
化学的インジケータ　43
仮名加工情報　97
稼働性能適格性確認　42
介護保険法に基づく掲示物　87
感染経路別予防策　50
感染性廃棄物　62
感染対策チーム　52

き

危険予知トレーニング　29
聴くスキル　123

く

クリティカル　44
クローズ型質問　124

け

傾聴法　123
劇物　153, 155
劇薬　155
見読性　99

こ

コミュニケーションエラー　9, 122
個人データの漏えい　103
個人を非難しない環境　14
個人識別符号　93

167

個人情報　93
　　──の匿名化　102
個人情報データベース等　103
個人情報保護委員会　100
個人情報保護法　92
　　──に基づく掲示物　86
個人線量計　84
個人用防護具　51, 60, 71
誤嚥性肺炎　57
根本原因分析　117

さ

サーベイランス　43, 45, 53
作業日誌　42
災害時の備え　80
在宅酸素療法　138
在宅歯科医療における放射線管理　85
産業廃棄物　61
産業廃棄物管理表　65

し

シングルユース器材　60
施設管理　76
歯科衛生士の倫理綱領　11, 12
歯科訪問診療　57
　　──時の廃棄物管理　71
地震等防災管理　78
自律尊重　10
質問するスキル　123
手指消毒　58
守秘義務　91
守秘義務違反　103
消毒　56
情報の廃棄　112
情報処理センター　65
真正性　100
診療情報の提供等に関する指針　94

せ

セミクリティカル　44
正義　10
生物学的インジケータ　43
清潔区域　64
咳エチケット　42
説明責任　11
洗浄　56
善行　10

そ

ゾーニング　58

た

卓越性　11

つ

伝えるスキル　123

て

ディスポーザブル　65
手洗い　58
添付文書　32
電子マニフェスト　65, 66
電子保存の3基準　99

と

特別管理産業廃棄物管理責任者　63
匿名加工情報　98
毒物　153, 155
毒薬　155
独立行政法人医薬品医療機器総合機構　36
取扱説明書　32

に

人間性　11

の

ノンクリティカル　44

は

ハインリッヒの法則　116
バイオハザードマーク　64
パターナリズム　10
廃棄物　61
廃棄物処理法　60
廃棄物の処理及び清掃に関する法律　60
針刺し事故　55

ひ

ヒヤリ・ハット事例　114, 115, 129
ピックアップコントロール　46
非感染性廃棄物ラベル　62
秘密　91
秘密保持義務　91
人を対象とする生命科学・医学系研究に関する倫理指針　98
標準予防策　50

ふ

フールプルーフ　119
フェールセーフ　120
プライバシー　90
　　──の侵害　90
プロフェッション　10
プロフェッショナリズム　10, 13
不潔区域　64
物理的インジケータ　43

ほ

ポリファーマシー	8
保険医療療養担当規則等に基づく掲示物	88
保健所の立入検査	149
保守点検	34, 36
保存性	100
放射線の防護	84
防火管理	78
防災管理	78

ま

マニフェスト	65

む・め

無危害	10
滅菌	56

ゆ

ユー・メッセージ	124
ユニバーサルマスキング	42

よ

要配慮個人情報	94, 101, 104

り

リスクマネージメントマニュアル作成指針	114
利他主義	11

る

ルミネスバッジ	84

ろ

労務管理	77
漏示	91

わ

ワクチン接種	53, 60

数字・欧文

4M-4E	117, 131
DX	93
HAI	40
ICD	52
ICT（infection control team）	52
ICT（information and communication technology）	93
KYT	29
m-SHEL	117
no blame culture	14
PMDA	36
POS	129
PPE	51, 60, 71
SBAR	9
shared decision making	8
standard precautions	50

【編者略歴】

尾﨑　哲則（おざき　てつのり）
- 1983 年　日本大学歯学部卒業
- 1987 年　日本大学大学院歯学研究科修了
- 1998 年　日本大学助教授
- 2002 年　日本大学歯学部医療人間科学分野教授
  - 日本大学歯学部附属歯科衛生専門学校校長（〜 2011 年）
  - 日本歯科医療管理学会常任理事
- 2008 年　日本歯科医療管理学会副会長（〜 2012 年）
- 2018 年　一般社団法人日本歯科医療管理学会副理事長
- 2019 年　一般社団法人日本歯科医療管理学会理事長

藤井　一維（ふじい　かずゆき）
- 1988 年　日本歯科大学新潟歯学部卒業
- 2003 年　日本歯科大学新潟歯学部附属病院歯科麻酔・全身管理科助教授
- 2006 年　日本歯科大学新潟病院病院情報処理室長
- 2008 年　日本歯科大学新潟病院歯科麻酔・全身管理科教授
  - 日本歯科大学新潟生命歯学部教務部長
- 2012 年　日本歯科医療管理学会常任理事
- 2018 年　一般社団法人日本歯科医療管理学会理事
- 2020 年　日本歯科大学学長

歯科衛生士のための
歯科医療安全管理 第2版　　　　　　ISBN 978-4-263-42302-8

2014年3月20日　第1版第1刷発行
2021年3月10日　第1版第5刷発行
2023年3月20日　第2版第1刷発行

編　者　尾　﨑　哲　則
　　　　藤　井　一　維

発行者　白　石　泰　夫

発行所　医歯薬出版株式会社

〒113-8612　東京都文京区本駒込1-7-10
TEL.（03）5395－7638（編集）・7630（販売）
FAX.（03）5395－7639（編集）・7633（販売）
https://www.ishiyaku.co.jp/
郵便振替番号 00190-5-13816

乱丁，落丁の際はお取り替えいたします　　　　印刷・永和印刷／製本・皆川製本所
© Ishiyaku Publishers, Inc., 2014, 2023　Printed in Japan

本書の複製権・翻訳権・翻案権・上映権・譲渡権・貸与権・公衆送信権（送信可能化権を含む）・口述権は，医歯薬出版（株）が保有します．
本書を無断で複製する行為（コピー，スキャン，デジタルデータ化など）は，「私的使用のための複製」などの著作権法上の限られた例外を除き禁じられています．また私的使用に該当する場合であっても，請負業者等の第三者に依頼し上記の行為を行うことは違法となります．

JCOPY ＜出版者著作権管理機構 委託出版物＞
本書をコピーやスキャン等により複製される場合は，そのつど事前に出版者著作権管理機構（電話03-5244-5088，FAX 03-5244-5089，e-mail：info@jcopy.or.jp）の許諾を得てください．